IN UTERO

Né en 1976 à Gap, Julien Blanc-Gras est journaliste globe-trotter. Ses reportages le mènent sur les cinq continents et nourrissent ses romans. *Touriste*, son troisième ouvrage, a reçu le Prix J. Bouquin et le Prix de l'archipel de Saint-Pierre-et-Miquelon. Julien Blanc-Gras est également l'auteur de *Gringoland* (lauréat du Festival du premier roman de Chambéry 2006), *Paradis (avant liquidation)* et de *Briser la glace*.

JULIEN BLANC-GRAS

In utero

AU DIABLE VAUVERT

© Éditions Au diable vauvert, 2015.
ISBN : 978-2-253-09888-1 – 1re publication LGF

« Dans la vie d'une femme et d'un homme,
peu d'événements suscitent autant d'émotion,
de plaisir, de bouleversement
que l'attente d'un enfant. »

Laurence PERNOUD

« L'accouchement est douloureux.
Heureusement, la femme tient la main de l'homme.
Ainsi, il souffre moins. »

Pierre DESPROGES

La Femme est arrivée en avance en m'annonçant qu'elle avait du retard. Elle avait fait un détour par la pharmacie pour se procurer un test de grossesse. Elle a gigoté pendant vingt minutes sur le canapé du salon en répétant qu'elle l'utiliserait à l'occasion. Peut-être demain, peut-être après-demain, inutile de se précipiter. C'est courant d'avoir quelques jours de retard, ça ne veut pas dire grand-chose.

Elle a tenté de changer de sujet, s'est livrée à une analyse de la situation météorologique, c'est vrai qu'il faisait frais pour un mois de juillet, puis elle s'est levée au milieu d'une phrase et s'est ruée vers le couloir comme si sa vie en dépendait, ce qui était le cas.

Elle était en retard, elle était pressée.

À 21 heures 17, la Femme a uriné sur un bâtonnet blanc.

Nous avons patienté dans la salle de bains, ensemble.

À 21 heures 22, le mot qui annonce une nouvelle vie est apparu sur le bâtonnet blanc.

Assise sur le rebord de la baignoire, la Femme débordait. Tremblante de joie et d'affolement, elle bafouillait des bouts de phrases qui s'entrechoquaient sans grande cohérence. J'ai pris son visage entre mes mains, j'ai embrassé ses larmes et j'ai planté mon regard dans le sien pour la rasséréner. Tout va bien se passer.

J'étais calme, calme comme un plongeur au sommet d'une falaise, gelant mes émotions pour éviter de me liquéfier. Je tentais de contrôler ma propre tempête intérieure, un chaos d'incrédulité et d'exaltation mâtiné de ce truc qu'il faut bien appeler de la terreur. Elle n'y a vu que du feu, mon numéro de sang-froid l'a apaisée.

Nous nous sommes enlacés en chuchotant des mièvreries. Puis nous nous sommes tus pour nous laisser porter par l'instant. Un ange est passé, comme si de rien n'était. J'ai relevé la tête et j'ai saisi notre reflet dans le miroir. Nous n'étions déjà plus tout à fait les mêmes.

Ce matin, au petit déjeuner, j'ai versé de l'eau chaude dans mon yaourt en pensant que c'était mon café et j'ai mis le Nutella dans le frigo. En trois décennies de consommation quotidienne, je n'ai jamais mis un pot de Nutella au frigo. Tout le monde sait que c'est une hérésie, la pâte durcit et perd toute sa saveur.

Je ne suis certes pas un foudre de guerre au réveil (je pourrais même dire qu'avant 11 heures mon quotient intellectuel ne dépasse pas 80 ; il progresse heureusement au cours de la journée, ce qui me permet de me coucher avec des facultés cérébrales proches de la moyenne). Cette lenteur matinale ne saurait tout expliquer. C'est au moment où je me suis cogné à la table basse en marmonnant « pardon madame » que je me suis souvenu que quelque chose me tracassait : la Femme est enceinte.

Les questions se bousculent dans ma tête alors que les cellules se divisent dans le ventre de la Femme, la plus récurrente étant : « Est-ce que je ne viendrais pas de faire une énorme connerie ? »

Je pose mon café sur mon bureau et allume mon ordinateur. Il n'y aucune raison de paniquer. Nous allons créer et accompagner une existence. C'est une formidable nouvelle, me dis-je en tapant *vol aller simple Patagonie* sur mon clavier.

Ce n'est pas ce que je voulais écrire, mon cerveau et mes doigts peinent à se coordonner. Je me ressaisis et tape *paternité* afin d'aborder la situation sous un angle scientifique et de noyer mon angoisse dans la raison. Dans les moments décisifs, il faut prendre de la hauteur.

Cent milliards de personnes ont peuplé la planète depuis les origines de l'humanité. C'est une estimation à la louche, car la fiabilité des registres d'état civil du Néolithique reste douteuse, mais les démographes s'accordent sur cet ordre de grandeur. Si l'on considère qu'ils se sont presque tous reproduits, une petite cinquantaine de milliards d'hommes sont devenus pères un jour ou l'autre. Cinquante milliards de bonhommes se sont retrouvés à ma place. C'est l'histoire la plus banale du monde.

La Femme, pragmatique et peu portée sur la démographie, a d'autres sujets de préoccupation. Elle a pris une journée de congé pour établir avec soin le programme des semaines à venir. Il faut effectuer une prise de sang pour confirmer l'information. Prendre un rendez-vous chez le gynécologue. S'inscrire à la maternité. S'inscrire dans une deuxième maternité, au cas où. Devons-nous opter pour un établissement doté d'une pouponnière ? « Bien sûr que oui, c'est toujours mieux avec », réponds-je avec une assurance destinée à masquer le fait que je n'ai pas la moindre idée de ce que peut être une pouponnière. Consulter la liste des interdits alimentaires (« Méfie-toi de ce pâté en croûte, Femme »). Remplir un dossier pour les allocations familiales. Se renseigner sur les modèles de poussette. Demander un formulaire de préinscription à Harvard.

Son principal souci, pour l'instant, consiste à dissimuler la nouvelle, car on n'annonce pas une grossesse avant plusieurs semaines. Il faut attendre que la vie soit solidement accrochée, il peut se passer tellement de choses.

— Notre entourage va bien se rendre compte que je ne bois plus d'alcool.

— Ne t'inquiète pas, Femme, je boirai pour deux.

Dans les semaines qui suivent, lors de nos mondanités, nous déployons des trésors d'ingéniosité pour verser son verre dans le mien à l'insu de nos amis. C'est ainsi, dès les premiers jours de gestation, que mon sens du sacrifice entre en action.

Ce n'est pas une surprise. Cette grossesse n'a rien d'un accident.

Je l'avais vue venir, elle s'était mise à tricoter des petits bonnets avec des oreilles de chat. Longtemps, ma réponse a été celle du clerc Bartleby dans la nouvelle de Melville. *I'd rather not to.* J'aimerais mieux pas. J'avais des tas de bonnes et de mauvaises raisons de renâcler à la reproduction – nous aurons le temps d'en reparler. Je bottais en touche.

Puis le temps a passé, et avec lui mes réserves. Nous avons quelques années de vie en commun. Des mouflets surgissent à un rythme effréné autour de nous. L'horizon est dégagé. Les conditions sont réunies pour ajouter un être humain sur la planète. Si cinquante milliards d'hommes ont franchi le pas, je devrais y arriver.

J'ai donné mon feu vert et quelques mois plus tard, un bâtonnet blanc affiche *enceinte*, avant qu'une prise de sang ne confirme l'information.

C'était donc prévu. Mais entre l'idée et sa concrétisation, il y a un gouffre de réalité, dans lequel je plonge en chute libre.

Finis, la période Bartleby et le refus de choisir. Dans quelques mois, je vivrai au côté de Moby Dick, submergé par un océan de contraintes nouvelles.

C'est écrit sur un document officiel : *vous allez être responsables d'un enfant*. La grossesse est déclarée. Un embryon portant mes gènes est répertorié par l'administration française, qui s'autorise ce courrier au ton comminatoire.

Voilà, fin de l'égoïsme. Je ne suis plus la personne la plus importante de mon existence.

Attendre un enfant, c'est vieillir d'un coup, basculer de l'autre côté. Fin de la jeunesse. Je dois bien admettre que j'ai l'âge de mes genoux. Étant plus proche de mon cinquantième anniversaire que du vingtième, je ne suis plus un *jeune* et les baskets que je porte n'y changeront rien. J'avais bien remarqué quelques signes avant-coureurs. Le dos qui tire, les adolescents qui m'appellent *monsieur*. J'avais bien noté que la porte-parole du gouvernement était moins âgée que moi, tout comme l'ensemble des joueurs de l'équipe de France de football.

Cette nuit, je me suis levé pour hurler sur trois ivrognes qui s'engueulaient depuis une heure sous nos fenêtres. « Vous pouvez pas aller foutre votre bordel ailleurs, putain de merde. » Étonné par ma propre véhémence (je n'avais pas hurlé depuis 2009), j'ai rajouté un « merci bien » trahissant ma politesse ordinaire. Curieusement, ça a marché. Les soûlards ont décampé. J'ai repris le cours de mon sommeil et j'ai rêvé que mon fils de 18 ans me demandait les clés de la voiture.

Je repense à toutes ces nuits où j'ai déambulé dans la ville, ivre et bruyant, en ricanant des vieux qui dorment alors que la vie n'est pas faite pour ça.

Ma jeunesse prend sa retraite, tous les stratagèmes édifiés pour ne pas devenir adulte – et donc refuser la mort – vont s'écrouler face à trois kilos de chair et d'os qui vont débouler chez moi.

Le quotidien va changer, dans des proportions encore inconnues.

Je sais que je vais voir la vie différemment.

Je ne sais pas encore comment.

Nous sommes trentenaires, vivons dans le nord-est parisien, travaillons pour les industries culturelles et médiatiques, ce qui doit suffire à nous cataloguer bobo. Nous sommes des enfants des classes moyennes provinciales venus élargir leurs horizons à la capitale. Nous avons débarqué à Paris sans un sou et sans réseau. Nous avons trouvé nos places dans la ville. Nous nous sommes rencontrés. Nous avons emménagé ensemble. Nous faisons un enfant.

La Femme travaille dans les coulisses d'une émission de télévision en vue. Elle fréquente les avant-premières et les soirées glamour (c'est elle qui les organise), elle côtoie des stars. Voici quelques années, autour d'une heure du matin, je regardais la télé en sortant le linge de la machine quand j'ai vu apparaître la Femme à l'écran. Elle accompagnait un acteur très célèbre à bord d'une limousine qui filait sous le soleil californien en direction d'un tapis rouge où Angelina

Jolie et Brad Pitt faisaient coucou. La Femme se trémoussait aux Oscars et j'étais en train d'étendre ses chaussettes, bien parallèles. Je ressentais une certaine fierté tout en me demandant à quel moment j'avais raté ma vie.

Présenté ainsi, son métier peut paraître enviable. Elle passe en fait dix heures par jour au téléphone et sur des tournages à gérer des ego de vedettes, petite main du grand spectacle dans un environnement où la densité de cuistres est multipliée par les projecteurs.

Quant à moi, je suis Batman. Je veux dire par là que je mène une double vie. Je me promène autour du monde, animé par l'idée que tout est possible. Je publie mes reportages dans des magazines, je relate mes périples dans des livres. Je gagne ma vie en la racontant. On m'invite à parler dans des écoles, des émissions de radio ou de télévision – celles que personne ne regarde. Dans les salons du livre, des étudiantes en lettres gloussent à mon approche. Je suis un écrivain-voyageur. On me dit souvent que je n'ai pas le droit de me plaindre.

Il convient de rétablir la vérité. Mes livres ne racontent que les parties intéressantes de mon existence. En bon freelance, je passe le plus clair de mon temps chez moi en pyjama devant mon ordinateur, à pondre de la copie pour payer le loyer. Je m'octroie une pause dans l'après-midi pour jouer de la guitare – c'est mon yoga – et une autre à 18 heures 10 pour regarder *Questions pour un champion*.

Le soir, la Femme et moi mangeons des surgelés en regardant des séries, comme tout le monde.

La Femme est revenue toute pimpante de son rendez-vous chez le gynécologue :

— Il m'a dit que j'avais la muqueuse bien épaisse.

Ce n'est pas n'importe qui, la Femme, elle a une muqueuse de standing. Je savais que j'avais affaire à une génitrice de qualité.

Cela dit, il va falloir qu'elle modifie ses habitudes. Freiner considérablement sa consommation de cigarettes. Plus une goutte d'alcool. Laver soigneusement les légumes. Bannir les sushis, le jambon cru et le fromage non pasteurisé. Autre contrainte : ne plus s'exposer au soleil sous peine d'hériter d'un masque de grossesse qui pourrait orner son visage d'une sorte de moustache indélébile. Nous sommes en été, je file acquérir un parasol sur-le-champ, je n'ai que moyennement envie de me reproduire avec une femme à barbe.

Un dossier *crèche* apparaît sur le bureau de mon ordinateur. Je note des rendez-vous médicaux dans

mon agenda. J'ajoute à mes favoris des sites consa-
crés à la paternité. La frontière entre l'abstrait et le
concret se déplace.

Après avoir frimé sur ses muqueuses de haute
volée, la Femme m'apprend que l'embryon est en
parfait état. C'est une petite virgule. Il mesure moins
d'un centimètre et déjà, son cœur bat. Ce n'est
donc pas une blague, cette histoire d'être vivant qui
pousse là-dedans.

L'enfant, c'est entendu, entraîne une réduction considérable du niveau de liberté. Or, cette liberté est mon gagne-pain. C'est elle que je mets en scène à longueur de livres. Je parviens à intéresser des lecteurs avec mes aventures dans la jungle ou sur des îles paumées du Pacifique. Qu'est-ce que je vais bien pouvoir raconter dans mes prochains bouquins ? Ce ne sera plus : « J'ai la gueule de bois et je survole le Groenland avant d'atterrir dans une favela » mais : « Raoul a mal aux dents et je prends la ligne 13 en direction du Bébé Cash de Gennevilliers afin d'acheter un stock de couches Pampers 3-6 kilos avec système double absorption ». Mon instinct littéraire me souffle que c'est moins vendeur.

La question des voyages a été négociée en amont dans les termes suivants : « On fait un lardon mais ça ne m'empêchera pas de voyager. »

La Femme est d'accord sur ce point-là. Elle sait que je m'étiole si je ne pars pas, et elle est bien heureuse de se débarrasser de moi de temps en temps. Mais suis-je d'accord avec moi-même ? Si je pars trop souvent, ne vais-je pas culpabiliser de ne pas voir grandir l'enfant ? Ne vais-je pas me maudire de rater les premiers pas de mon fils parce que je bois du lait de yak dans une cabane au Bhoutan ?

Et en aurai-je toujours envie ? L'homme accompli et prolongé par la paternité ressent-il encore le besoin d'élargir ses territoires ?

Je résous mon équation par un mélange de pragmatisme économique et de mauvaise foi. Voyager est mon métier. Si je ne voyage pas, je ne pourrai pas nourrir cet enfant.

Bien sûr, je pourrais aussi gagner ma vie avec un emploi salarié sédentaire, des horaires fixes et un patron. Disons-le clairement : plutôt crever.

Pour ne pas trahir ma jeunesse, je vais m'accrocher à l'idée qu'on peut devenir bon père et rester bon vivant.

Aux premiers pas de l'humanité, on faisait des enfants par inadvertance. La corrélation entre sexualité et reproduction ne coulait pas de source. Poussé par son instinct, Cro-Magnon montait sur Cro-Magnonne, se soulageait en la secouant, sans forcément faire le lien entre la petite giclée du printemps et le bébé Cro-Magnon débarquant l'hiver suivant.

(C'était également le cas jusqu'au XXe siècle dans certains coins isolés de Mélanésie. Avant l'arrivée des missionnaires européens dans les années 1930, les habitants de l'île de Bellona, aux Salomon, interprétaient la grossesse comme un don des dieux, et non comme le fruit de la copulation. S'il est un jour possible de voyager dans le temps, j'irai voir la tête de l'autochtone au moment où le missionnaire lui a annoncé la nouvelle.)

Les temps ont changé et l'espace s'est rétréci. Les premiers hommes ne maîtrisaient pas le feu et en un clin d'œil, leurs descendants envoyaient des engins dans les étoiles. Entre-temps, ils ont inventé la roue et l'internet, l'écriture et l'humour, le suicide et la fécondation in vitro. Quoi de commun entre un chasseur-cueilleur des steppes d'Asie centrale au Mésolithique et un trader new-yorkais au XXIe siècle ?

Tout a changé, des moindres gestes quotidiens à la conscience de notre place dans l'univers. Bien sûr, des paramètres immuables nous constituent à travers les âges. On respire, on mange, on dort. Et on fait des enfants. On fait des enfants comme on respire. Résumons la vie des hommes au plus court : ils naissent et ils se reproduisent avant de mourir. Ils laissent une trace, des gènes, comme une évidence.

Quelques années avant ma naissance, en pleine course à l'armement nucléaire, l'humanité avait accédé aux moyens de contrôler sa descendance de manière fiable. La bombe et la pilule donnaient simultanément à notre espèce la possibilité de se détruire et de s'interrompre.

Pourtant, nous sommes toujours là. Nous ne sommes plus obligés d'avoir des enfants et la Terre n'a jamais été aussi peuplée.

La naissance d'un bébé est « le plus beau jour de la vie », selon la formule consacrée. Cela signifie que les jours suivants sont moins beaux. Suivant cette logique, la joie décroît avec la croissance de l'Enfant. Pourquoi vouloir se reproduire aujourd'hui, alors que nous sommes bien informés sur le sacré paquet d'emmerdes que cela représente ?

Longtemps, on a engendré par nécessité économique, pour Dieu ou pour la patrie. De nos jours, c'est pour le bonheur que l'enfant apporterait. Pour transmettre une histoire. Pour ne pas mourir seul. Pour s'accomplir. Pour s'occuper. Pour transférer ses problèmes. Parce que ça se fait.

La Femme ne se demande pas si son instinct maternel obéit à une construction culturelle ou une injonction biologique. Elle a envie d'un enfant, tout simplement.

De mon côté, c'est plus flou. Je me soupçonne d'obéir à cet aphorisme rendu célèbre par le chanteur cubain Compay Segundo : « Pour réussir sa vie, un homme doit faire un enfant, écrire un livre et planter un arbre. » J'ai écrit des livres. Je n'ai jamais planté d'arbre et je n'ai jamais eu d'enfant. Il m'est apparemment plus naturel de créer des personnages qu'une personne. J'ai entendu cette sentence dans plusieurs pays, ce qui confère une dimension universelle à cette idée simple : on se construit sur ses expériences.

J'ai vécu quelques aventures, mais rien de bien conséquent, finalement. Je n'ai jamais nettoyé une ville russe d'une mafia terrorisant ses habitants, jamais inventé de traitement contre le cancer, jamais stoppé à mains nues un rhinocéros s'apprêtant à piétiner un petit orphelin botswanais. Mon impact sur le monde reste limité.

Je crois que je vais avoir un enfant parce que je n'en ai jamais eu. Je suis poussé par la crainte de passer à côté d'un principe essentiel en m'abstenant. J'ai surtout l'impression que je serai plus heureux avec que sans. Il se peut que je me trompe et je n'en saurai jamais rien.

Je me suis posé toutes ces questions cent onze fois et, un jour que j'étais traversé par une furtive pulsion de paternité en observant des gosses jouer dans un parc, j'en suis arrivé à cette conclusion : pourquoi pas ?

L'Organisation internationale des non-parents a vu le jour en 1972 en Californie. Au moment de l'émancipation des femmes et de la banalisation de l'usage de la pilule, le choix d'enfanter ou non prend une tournure politique. Les *childfree* militent pour le droit de l'enfant à ne pas naître et pour celui de la femme de disposer de son utérus comme elle l'entend.

En 2007, la lacanienne Corinne Maier s'est fait traiter de sorcière à la parution de son *No kid*, manifeste antinataliste détaillant les *quarante raisons de ne pas avoir d'enfant*. Un demi-siècle après Simone de Beauvoir, la pression sociale est encore forte sur les femmes qui usent de leur droit légitime à ne pas devenir mère.

Il m'est arrivé de discuter avec quelques-unes d'entre elles, qui avaient passé le point de non-retour biologique. « C'est un choix », expliquaient-elles un peu trop rapidement, sans parvenir à dissimuler un léger voile de mélancolie dans leur regard. J'ai le plus grand respect pour ce choix. La solitude, c'est la liberté. Mais la liberté, c'est la solitude.

Ces femmes sont souvent confrontées à une compassion, une incompréhension, voire une hostilité navrante. Pour résumer, les non-parents sont accusés par les esprits étroits de mettre à mal les structures sociales traditionnelles dans le but d'anéantir la civilisation. Les *childfree* brandissent alors l'argument écologique malthusien. Il y a plus d'humains que la Terre ne peut en supporter, il faut arrêter d'en produire pour sauver la planète. C'est un débat insoluble : refuser l'enfant est une attitude égoïste (on vit pour soi avant tout), en faire aussi (on extirpe du néant une âme qui n'a rien demandé pour la plonger dans un monde saturé).

Enfin, tout cela ne me concerne plus vraiment. C'est le côté commode de l'irrévocable, on peut oublier tout un tas de choses qui perdent de leur pertinence. Je dois désormais me concentrer sur le primordial : organiser la survie de notre enfant à venir, pendant que l'espèce humaine organise les conditions de sa propre disparition dans des proportions jamais observées.

Nous continuons pourtant à croître et à nous multiplier. La pulsion vitale est tenace. Martin Luther

King l'a formulée ainsi : « Si l'on m'apprenait que la fin du monde est pour demain, je planterais quand même un pommier. »

L'enfant, c'est un acte optimiste. Un pari sur l'éternité.

Parmi les raisons qui poussent deux êtres à se reproduire, l'amour peut aussi entrer en ligne de compte.

Longtemps, j'ai fréquenté toutes sortes d'exaltées toxiques et merveilleuses, des furies flanquées de traumatismes irréparables. J'ai aimé des bipolaires, des cocaïnomanes, des suicidaires, des militantes d'extrême gauche, des bien-plus-âgées-que-moi, sans oublier celle qui était persuadée de communiquer avec des anges. Des fêlées éblouissantes qui me procuraient de l'intensité et que mon flegme rassurait. Leur dénominateur commun résidait dans leur relation torturée au père. Papa était mort trop tôt, papa cognait, voire pire. Elles me nourrissaient de leur tragique, je les apaisais. Mais quand on associe l'amour et la douleur, on se cantonne à l'éphémère ; aucun avenir n'est envisageable.

La Femme, elle, est née de bonne humeur. Elle prend la vie du bon côté, ce qui équilibre habilement mon naturel désabusé. J'ai beau lui rappeler que c'est la fin du monde et qu'il n'est peut-être pas raisonnable de se reproduire dans ce contexte, elle ne semble pas s'en inquiéter. La Femme me ramène sur terre quand je m'égare dans mes élucubrations théoriques. Sa vitalité me tire vers le haut.

Dotée d'un caractère solide et d'un tempérament indépendant (obligatoire pour vivre avec moi), la Femme est efficace, impatiente, volontaire et généreuse. Pleine de bon sens et rusée comme une meute de renards (« Toi qui es si fort, tu peux descendre la poubelle, s'il te plaît ? »). Elle s'intéresse peu à la politique, partage mon humour déplorable et ne supporte ni les animaux ni les gens mous. Aime Marvin Gaye, les chaussures, Tarantino, les feux d'artifice, le chablis et moi, dans le désordre.

On va me soupçonner de partialité, mais je vous assure que c'est vrai : la Femme ensoleille les endroits où elle passe. Je ne connais personne qui danse mieux qu'elle. Or, « la danse est la langue cachée de l'âme », comme l'a si bien résumé la chorégraphe américaine Martha Graham. Une forme de vérité s'exprime par le corps. « Les hanches ne mentent pas », comme l'a si bien résumé Shakira.

Je ne dirai pas qu'elle est belle, pour éviter de fanfaronner, mais je dirai qu'elle est belle, pour être honnête.

Coupons court aux dithyrambes, il ne faudrait pas qu'elle prenne la grosse tête. Dans la situation qui nous occupe, je conclurai ainsi : je ne doute pas une seconde qu'elle sera une mère formidable.

Comme c'est un être humain, elle a aussi ses défauts. Elle grince des dents dans son sommeil, elle laisse traîner ses chaussettes n'importe où et elle est nulle en blind test. Plus grave, elle persiste à ne pas admettre que j'ai toujours raison. Je n'ai pas d'explication à ce sujet. Mystère insondable de l'âme féminine.

La Femme est née à 9 000 kilomètres de la France et a passé la première année de sa vie dans un orphelinat de Séoul avant d'être mise dans un avion en direction d'une famille d'adoption sur un autre continent. Le vrai drame dans cette histoire, le coup de vice du destin, c'est qu'elle a atterri à Bourg-en-Bresse – coup du sort compensé par le fait d'avoir été accueillie dans une famille aimante et équilibrée.

Les enfants adoptés traversent parfois des adolescences difficiles, des quêtes identitaires ruineuses en psychothérapie. Au début de notre relation, je pensais avoir affaire à une bombe à retardement qui exploserait d'autant plus violemment que l'attente avait été longue. Pas du tout. La Corée, ça ne l'intéresse pas. Elle n'y est jamais retournée – j'y suis allé trois fois.

Culturellement, la Femme est 100 % française. Physiquement, elle est tout à fait asiatique. Son existence est jalonnée d'un petit racisme quotidien, rarement malveillant mais épuisant à la longue, qui suscite chez elle moins d'indignation que de lassitude.

Devoir affronter en permanence la question : « D'où tu viens ? » Savoir que répondre la vérité (Bourg-en-Bresse) nécessitera une explication. S'entendre dire qu'on parle bien français alors qu'il s'agit de sa langue maternelle. Slalomer entre les gros lourds qui vous abordent dans la rue par un « ni hao » parce que vous êtes chinoise (une proportion inquiétante de la population imagine que tous les Asiatiques sont Chinois). Récemment, au supermarché, la caissière lui a demandé si elle connaissait de bons endroits pour prendre des cours de karaté. Ce qui revient à demander à un Noir où trouver des tam-tams. La liste est longue.

Avoir les yeux bridés présente aussi quelques avantages, une forme de discrimination positive informelle dont jouissent parfois les Asiatiques (« ces gens-là sont discrets et travailleurs, ils sont peut-être fourbes mais au moins ils ne créent pas d'ennuis »). Ainsi, les traits orientaux de la Femme nous ont permis d'obtenir la location de notre appartement, pourtant soumise à rude concurrence.

La propriétaire : Et vous êtes de quelle origine ?
La Femme : De Corée du Sud.

La propriétaire : Génial, moi j'adore le Cambodge. Allez, vous êtes mignonne, je vous loue l'appartement.

Dans ce monde cosmopolite où la diversité est un sujet de frictions, de névroses et d'incompréhensions, je me réjouis de former une famille métissée. Ma quête personnelle d'identité globale prend corps dans ma descendance. Mon goût du voyage s'en trouve flatté jusque dans mon foyer, chaque journée devient un exotisme. Cela permet, accessoirement, de faire des blagues racistes en toute impunité.

Le corps si fin de la Femme commence à s'arrondir en catimini. Un petit renflement apparaît au niveau de son ventre. Ses seins gonflent pour former un début de prestance mammaire. La Femme a pris vingt grammes et elle s'enduit de crème pour contrer les vergetures.

Des événements considérables ont lieu à l'intérieur de ce corps et je suis sidéré par mon niveau d'ignorance sur le processus en cours. J'attends un enfant, alors j'achète *J'attends un enfant*, le Laurence Pernoud, édition de l'année, bible des futurs parents depuis 1956.

La grossesse est enclenchée depuis deux mois. Je peine encore à absorber la nouvelle et j'apprends que l'organisme implanté dans ma femme a déjà des membres. Son squelette se façonne. Ses organes se mettent en place. C'est une petite fraise. Si peu de volume pour autant de chambardement.

Comment est-il possible que les lignes de ses mains se dessinent déjà ? Il n'y avait rien dans cet utérus au début de l'été et je lui apprendrai bientôt à faire du vélo. Cette entité reliée à sa matrice par un cordon ombilical possède un début de cerveau. Est-elle plus proche de l'humain que du têtard ? Est-ce qu'elle a une âme ? Est-ce que déjà tu rêves, petite chose ?

J'informe la Femme que je prends des notes sur l'aventure en cours, et qu'il se pourrait, éventuellement, que j'en tire un livre.

« Ah oui, ça pourrait donner un truc marrant », me répond-elle comme si je lui avais proposé d'aller au cinéma. C'est un paramètre à prendre en compte chez la Femme : elle ne fait pas grand cas de mes livres. Quand je lui remets mes manuscrits terminés, elle les lit calmement et me dit « c'est bien » avant de retourner à ses occupations. Elle est sans doute fière de moi, mais de manière très discrète, pour ne pas encourager mes travers d'artiste détaché des contingences matérielles (« Désolé Femme, je ne peux pas faire la vaisselle, je suis en train de penser »).

Je lui précise que cette fois-ci, l'action du livre se déroulera dans son utérus, et qu'à ce titre, elle pourrait manifester un peu plus d'intérêt.

« Oui, oui, c'est une bonne idée », me sourit-elle en levant les yeux de son *Elle*. L'important, c'est d'avoir l'imprimatur.

On reproche souvent aux écrivains français de se focaliser sur leur propre nombril. Je vais me concentrer sur celui de la Femme.

J'écris ce livre pour apaiser mes angoisses en les formulant. Tenir ce journal de grossesse participe du processus d'acceptation. Je suis dans la position de l'explorateur, je découvre un continent en formation, celui de la Paternité. Je m'embarque dans le plus long, le plus puissant, le plus indélébile des voyages, je vais rencontrer des obstacles inconnus. La grossesse dure neuf mois pour permettre au fœtus de se développer et au père de se préparer. Je change de peau, ces mots sont le produit de ma mue. Des lambeaux de moi s'effritent, d'autres s'agrègent pour constituer une nouvelle personnalité. Ce sera l'histoire de la transformation de l'homme en père.

Ce récit est également un processus parallèle, un geste d'accompagnement, quasiment un acte solidaire, car je suis moi-même en gestation littéraire. Tu pèses une tonne et tu as des hémorroïdes, mon amour ? Oui, eh bien, ne te plains pas trop, je suis moi-même tenaillé par les douleurs de l'accouchement de mon œuvre, je suis tourmenté par mes problèmes de virgules. Ô vertiges de la création, quelles meurtrissures endurons-nous en votre nom ?

Quand on tape *futur papa*, Google propose *futur papa angoisse* parmi les premiers résultats associés. Voyez le spleen dévoué des trentenaires à poussettes, passés de l'âge des possibles à celui des regrets. L'arrivée de l'enfant confirme ce qu'on soupçonnait depuis un moment – nous ne sommes pas destinés à devenir des rock stars et le monde ne tourne pas autour de nous. Génération insatisfaite, qui rechigne à s'engager, tout en mettant un point d'honneur à changer les couches.

Les magazines recyclent le marronnier des *nouveaux pères* et les rayons des librairies sont encombrés par les guides pratiques de la paternité. Le rayon littérature est moins fourni. À peine quelques romans de pères dépressifs. « À moins qu'il y ait un drame, les enfants ne font pas de très bons sujets de livre, pour les hommes », écrit Virginie Despentes dans son roman *Apocalypse bébé*. Elle ajoute, en interview : « Au quotidien, ça change, mais en littérature, la paternité reste un truc pas viril. »

Quant à la grossesse, ce moment de latence, cette parenthèse étrange dans la vie d'un homme, elle ne constitue que très rarement le thème principal des romans masculins.

J'ai lu *Pleins de vie* de John Fante à 25 ans, l'âge où avoir des enfants était pour moi une pure abstraction. Je l'ai relu. John Fante ne se cache plus derrière l'alter ego de ses romans précédents. Ce livre est trop intime pour tricher : le narrateur s'appelle John Fante. C'est le récit de l'auteur bataillant avec son père pour trouver sa place de fils alors que sa femme attend leur premier enfant. Ça se passe dans les années 1950, on fume dans les couloirs de la maternité et on sert des cognacs aux femmes enceintes. Son paternel, pétri de superstitions italiennes, prodigue ses conseils pour avoir un garçon – il faut manger des huîtres et mettre du sel sous le lit de noces. Son épouse entame une conversion religieuse. Sa maison est rongée par les termites (métaphore : l'envahisseur sape ses fondations). C'est brillant, émouvant et drôle, comme toujours avec Fante, mais c'est lointain.

Plus près de nous, Philippe Jaenada a abordé le sujet dans *Le Cosmonaute*. Quand sa compagne tombe enceinte, le narrateur du roman renâcle à l'idée de se soumettre à l'impossible et à l'obligatoire avant d'accepter sa condition de prisonnier conjugal, d'esclave de sa famille, avec un sens du sacrifice quasiment christique. C'est une œuvre hilarante, d'une tristesse insondable.

Par rapport à John Fante, dont il est l'héritier, Jaenada présente l'avantage d'être vivant et d'habiter à trois stations de métro de chez moi. Alors que je lui confiais mes états d'âme de père en devenir au détour d'une bière descendue rue de Ménilmontant, il m'a rassuré en tapant sur mon épaule de sa grosse patte d'ours : « C'est normal. Tu verras, toutes ces craintes s'évanouiront le jour de la naissance. »

Le moment où l'enfant vient au monde efface-rait tous les doutes accumulés précédemment. Une magie biologique qui viendrait retourner l'âme de l'homme pour en faire un père, en toute évidence.

Plus tard, j'ai noté une phrase d'Emmanuel Carrère, noyée dans *Le Royaume*, son enquête sur les origines du christianisme : « Anne était enceinte, aussi tendre qu'elle pouvait, mais dolente et inquiète, avec d'excellentes raisons de l'être car je ne pouvais cacher ma panique devant la prochaine venue de notre deuxième enfant. Ç'avait été pareil pour le premier, ce serait pareil quinze ans plus tard, avant la naissance de Jeanne. Je ne pense pas, tout compte fait, être un mauvais père, mais l'attente d'un enfant m'épouvante. »

Les hommes – les écrivains en tout cas – semblent désemparés face à la grossesse. Je ne suis pas seul, ça me rassure.

Comme je n'ai pas trouvé beaucoup de livres sur la question, j'ai pioché dans les miens. Il ne s'agit pas d'un exercice masturbatoire, je veux juste savoir qui j'étais il y a dix ans. Voici ce que j'ai trouvé à l'avant-dernière page de mon premier roman :

Les gens dits normaux sont des héros, ils font des enfants.

Choisir de pondre me semble aujourd'hui une question autrement plus philosophique que rester en vie ou pas. Se prolonger et assurer la reproduction de l'espèce, c'est une responsabilité. On n'est pas seul en cause. On donne la vie à quelqu'un qui n'a rien demandé. Ça demande beaucoup de courage. Il faut se battre pour trouver un partenaire reproducteur en bonne santé, puis démissionner de son individualisme avant de se faire du souci pendant vingt ans à cause de tous les dealers pédophiles qui guettent à la sortie de l'école. C'est bien flippant, quoi. La plus grosse peur, c'est celle d'affronter le regard de nos gamins quand ils prendront conscience du monde qu'on leur a laissé. Donc, pour faire des enfants, il faut être optimiste.

Je le suis, un jour sur trois.

Je ne l'écrirais pas de la même façon, mais je ne changerais pas grand-chose au fond du propos. Aujourd'hui, je vais mieux. Je suis optimiste un jour sur deux.

Le dernier numéro d'*Infobébés* traîne dans la salle d'attente. Je m'empare du magazine et me surprends à dévorer le dossier sur les croûtes de lait. Je me familiarise avec un champ sémantique constitué de vocables étranges, tels aménorrhée ou turbulette, dont je ne soupçonnais pas l'existence. Une publicité m'informe que la poussette Bugaboo a été choisie par Mélissa Theuriau et Jamel Debbouze. J'apprends que plus de 800 000 enfants naissent chaque année en France. Notre système social, nos crèches et nos congés maternité contribuent à ce taux de fécondité élevé pour une nation occidentale. La grossesse interdit pourtant la consommation de vin, de cigarette, de charcuterie et de camembert, tous les plaisirs de l'art de vivre à la française. Je crois qu'il convient à ce titre de saluer l'abnégation des femmes de ce pays.

Je rêvasse devant la décoration du cabinet, sculptures africaines et estampes japonaises. Je n'ai jamais vu le mont Fuji, il faudrait que je retourne dans ce pays. Le gynécologue, un sexagénaire aux cheveux blancs, avenant et décontracté, grommelle devant son ordinateur. Il appelle sa secrétaire qui accourt pour régler un problème logiciel. Est-il raisonnable de confier la santé de sa famille à un papi qui ne sait pas utiliser Word ?

Je décide, probablement parce que je n'ai pas le choix, de lui accorder le bénéfice du doute, même quand il demande à la Femme, ma femme, de se déshabiller et d'étendre ses jambes. D'un geste expert, il inonde le ventre de gel et promène sa sonde sur la peau. Des ultrasons traversent l'épiderme et sur le moniteur apparaît une petite noix de cajou bidimensionnelle et pixellisée.

Notre enfant.

La pulsation du mini-cœur déclenche un frémissement dans le ventre, mon ventre à moi. Le monde disparaît autour de nous ; j'en oublie qu'un papi pose sa main sur le pubis de ma femme.

C'est un film muet, noir et blanc, hypnotisant. On dirait un *Alien* réalisé par Murnau ; je m'attends à voir surgir des pancartes de dialogues.

La Femme est bouche bée, elle a oublié qu'elle existait.

La voix du médecin nous tire de notre pétrification :

— Là, c'est une jambe, et de l'autre côté vous avez un bout de pied qui dépasse.

— Docteur, il a une jambe beaucoup plus courte que l'autre, non ?

— Mais non, ne vous inquiétez pas, monsieur. Regardez. Là, ce sont les hémisphères cérébraux.

Le cerveau de mon fils (arrête de penser « fils », bon sang, ce sera peut-être une fille).

— Il a l'air intelligent, non ?

— Il va faire Polytechnique, répond le docteur du tac au tac. Et il bouge beaucoup.

— C'est possible d'entendre le cœur ?

Le doc tourne un bouton et une bouillie sonore saturée envahit la pièce. Le tempo est affolant, digne des pires cavalcades hardtek.

— C'est beaucoup trop rapide, docteur. Il y a un problème.

— Aucun problème, le rythme cardiaque du fœtus est deux fois plus rapide que le nôtre. C'est normal. Vous n'étiez pas au courant ?

Je n'étais pas au courant. Je ne sais rien. Nous sommes bien peu de chose.

Nous sortons du cabinet, sonnés et munis d'une pochette contenant les premières photos de notre progéniture. Il est très moche (une noix de cajou pixellisée, c'est bouleversant mais pas très graphique). Nous épluchons la feuille de résultats. L'embryon est devenu fœtus. Il mesure

6,2 centimètres. Son périmètre céphalique s'élève à 76,7. Quand même, ce n'est pas rien. La clarté nucale s'avère impeccable, le petit a le bon espacement, ce qui réduit considérablement la possibilité de trisomie 21. Sa paroi abdominale antérieure est intègre (je te reconnais bien là, mon enfant, j'étais pareil à ton âge). Rythme cardiaque adéquat. Nombre d'embryon : 1. Voilà une vraie bonne nouvelle.

— On a deux nouvelles à vous annoncer.

Mon père, ma mère et mon frère se figent.

— Je suis enceinte, sourit la Femme.

Onomatopées de joie de la mère, petite larme.
Sourire ravi du père, bruit d'un bouchon qui claque.
Embrassades, etc.

— Et quelle est la deuxième nouvelle ?

— C'est moi le père.

Souvent, les romanciers écrivent sur – ou contre – leurs parents. Des histoires de blessures qui traînent, de ressentiments impossibles à digérer. Je ne peux pas faire ça. J'ai beau chercher, je ne trouve rien de sérieux à reprocher à mes parents. Ni négligents, ni étouffants. Enfance normale, harmonieuse, confortable.

Les salauds.

Ils se sont bien débrouillés pour me couper toute inspiration, toute rage et tout désir de revanche. S'ils m'avaient cogné, s'ils m'avaient bien fait comprendre que je n'arriverais à rien, s'ils avaient placé en moi des espoirs démesurés, j'aurais eu des choses à expulser. Ils n'ont même pas divorcé. Tout pour saper ma carrière d'écrivain torturé.

Je ne commettrai pas la même erreur. En écrivant sur mon fils, je vais lui donner des raisons de me détester (— Ouin, ouin, on dirait que t'as écrit un livre pour dire que t'étais dégoûté que je suis né.

— Que je sois né, imbécile) et il pourra devenir un artiste maudit crédible.

Nous changeons de génération. Nous ne serons plus les derniers venus dans l'ordre familial. Le passage de relais s'accompagne d'une nouvelle conscience de sa propre mortalité et d'un besoin diffus de creuser ses racines.

J'ai demandé à mon père ce qu'il avait ressenti dans ma situation. Ça ne m'avait jamais traversé l'esprit auparavant. Pour les enfants, les parents ont toujours existé, ils n'ont pas eu de vie avant la nôtre. « De la curiosité », m'a-t-il répondu. Le jour de l'accouchement, il était en train de couper les cheveux d'une cliente quand le téléphone a sonné. Il a fini sa coupe et s'est rendu à pied à l'hôpital pour me voir débarquer dans ce monde. J'étais un nouveau-né en bonne santé, rien à signaler, la vie a repris son cours. Le lendemain, mon père retournait couper des cheveux dans son salon de coiffure. J'étais son deuxième fils, il connaissait la chanson.

« La naissance, pour nous, c'était à Roissy », explique mon beau-père, qui verse une larme à chaque fois qu'il évoque l'arrivée de sa fille, que son épouse et lui ont attendue pendant des années, après un interminable et cruel parcours du combattant administratif. Il répète inlassablement les

54

mêmes anecdotes. Le prix de la chambre d'hôtel. L'impatience à l'aéroport. Le premier contact avec ce bébé aux yeux bridés qui vient souder leur famille. Un bébé endormi par un voyage intercontinental et chaussé d'une seule ballerine jaune, l'autre s'étant égarée quelque part entre Séoul et Paris. Ma belle-mère a conservé le petit soulier comme un talisman. Un psychanalyste ferait sans doute le lien entre cette histoire de chaussure manquante et la quantité extravagante d'escarpins s'entassant dans les placards de la Femme.

Deux types de réactions quand on annonce l'arrivée d'un enfant.

Le classique et convenu : « C'est génial, félicitations. Attention, votre vie va changer. C'est génial mais c'est dur. »

Ou le ricanement sarcastique, presque vengeur, signifiant « bienvenue dans la cohorte des damnés, toi qui as bien profité de la vie avant de nous rejoindre dans le tunnel sans fin des biberons, des couches et de la privation de sommeil ».

Autour de moi, les gens s'en sortent avec leurs mômes. La plupart d'entre eux ont des journées déjà réglées par le salariat. Une existence sur des rails, beaucoup d'organisation, des joies et des soucis, de la stabilité et de la fatigue, la vie normale. La transition risque d'être plus délicate dans mon cas. Rétif à l'autorité, j'ai toujours refusé d'avoir un patron. Mon quotidien sera désormais régulé par un dictateur qui, quoique dépourvu de parole, m'ordonnera d'accourir plusieurs fois par jour. Le bébé, ce nazi.

« On ne peut plus aller nulle part », tempête une amie exténuée par la maternité. Elle a des valises sous les yeux et a cessé de voyager. « Personne ne te dit avant à quel point c'est dur, à quel point on est cloué. » Je n'ai pas envie d'entendre ça, je me tourne vers quelqu'un d'autre. « Mais si, on peut bouger. Un bébé ça se transporte comme un sac », tempère un garçon qui s'y connaît, puisqu'il enchaîne les tours du monde en famille. « Tu auras moins envie de partir », prophétisent d'autres.

Nous sommes ensevelis sous les conseils pratiques, les paroles avisées, les avertissements bien intentionnés. *Mettez-vous à la natation. Mangez des brocolis. Relisez Dolto. Faites une cure de vitamines. Profitez-en pour dormir maintenant.* À force d'entendre que *c'est fatiguant*, je suis déjà épuisé au bout de trois mois de grossesse.

— Alors vous voulez un garçon ou une fille ?

Les gens n'ont aucune imagination. Pourquoi pas un hermaphrodite ?

L'intersexuation concernerait entre 0,1 et 1,5 % de la population, selon les estimations. Ça peut arriver, il faut se préparer à tout.

Certes, je préférerais un enfant au sexe bien défini, ce serait plus simple. Fille ou garçon, peu importe. Préférer un héritier mâle est une attitude archaïque et sexiste, qui trahit le beauf façonné par des millénaires de domination masculine. C'est la porte ouverte aux discriminations de genre. Le type d'attitude qui conduit aux avortements sélectifs et à l'infanticide féminin, comme en Chine ou en Inde. Halte à la barbarie misogyne !

Ceci était un message de ma part politiquement correcte.

En vérité, je préférerais un garçon. J'aimerais tout autant cet enfant si c'est une fille, bien sûr, je ne peux toutefois pas m'empêcher de me projeter dans un mini-moi auquel je pourrais dire : « Tu sais, Zidane, c'était quelqu'un. » J'ai également l'intuition que ça m'évitera des inquiétudes à l'adolescence. On veut le meilleur pour son enfant, c'est légitime. Et j'ai le regret de constater que ce monde reste plus compliqué pour les femmes.

Enfin, on ne choisit pas.

Le ventre de la Femme, encore très discret, pointe vers l'avant plutôt que vers le bas. « Ça veut dire que c'est un garçon », pronostiquent les amateurs d'adages populaires et de superstitions bénignes. Je préfère attendre la prochaine échographie pour me prononcer.

Notre amie Anne est trop impatiente et elle connaît une méthode, quasi infaillible, dit-elle, pour déterminer le sexe de l'enfant grâce à l'astrologie chinoise. Il s'agit de croiser le mois de conception avec l'âge de la mère et la position de la lune, ou quelque chose dans ce genre.

— Je ne crois pas un instant à ces fariboles, ricané-je pendant que les meufs s'adonnent à leur calcul devant un tableau bleu et rose décoré de petits dragons.

Une minute passe et un cri retentit :

— Ce sera un garçon !

Je crois que nous avons beaucoup à apprendre des sagesses orientales. Ce n'est pas un hasard si les Chinois sont les maîtres du monde.

La Femme a annoncé sa grossesse au travail.

— Encore ? lui a rétorqué l'animateur de l'émission dont elle s'occupe.

— Mais enfin, c'est mon premier.

— Ah bon. Ouais. Alors tu t'arrêtes quand ?

Ce n'est pas pour tout de suite. À douze semaines de gestation, la Femme ne montre aucun signe de fatigue. Pas la moindre nausée. « Je n'ai pas l'impression qu'une transformation radicale s'opère en moi », constate-t-elle.

Je suis bien content pour elle, mais j'ai un livre à écrire, moi. S'il ne se passe rien, comment veut-elle que je progresse ? Ça lui coûterait quoi de se mettre deux doigts au fond de la gorge pour vomir dans le métro à une heure d'affluence pour que j'aie une scène croquignolette à relater ? Mais non, madame préfère se porter comme un charme. C'est tout de même quelque chose, l'égocentrisme des femmes enceintes.

Je me console en me disant que ça ne va pas durer.

La phrase que j'ai le plus entendue dans la bouche de la Femme n'est ni « Je t'aime », ni « Passe-moi le sel », mais « J'ai oublié mon téléphone », exclamation précédée d'un léger hoquet de panique. Neuf fois sur dix, le téléphone qu'elle croit avoir oublié se trouve à sa place, dans les profondeurs obscures de son sac à main. Le téléphone est l'objet de cristallisation de son stress, une pathologie tellement répandue à notre époque qu'on a dû créer un mot, la nomophobie, pour la définir.

« Il paraît qu'on devient maladroite et tête-en-l'air quand on est enceinte », m'avait-elle prévenu. C'était gentil de m'avertir, mais c'est bien pire que ça. Subitement, le cerveau de la Femme s'est transformé en gruyère. J'étais tranquillement en train de regarder *Questions pour un champion* quand elle a déboulé dans le salon :

— Ça fait longtemps qu'on n'est pas allés au cinéma.

— On a vu *Elysium* la semaine dernière.

— On a vu quoi ?

— *Elysium.*

— C'est quoi *Elysium* ?

Je penche la tête, intrigué. Elle n'a peut-être pas enregistré le titre du film.

— Tu sais, le blockbuster avec Matt Damon.

— Ça ne me dit rien.

J'ouvre la bouche. Nous avons vraiment vu ce film la semaine précédente.

— Mais enfin, si. Il va dans l'espace pour sauver le monde et Jodie Foster est très méchante.

La Femme, suspicieuse :

— Tu es sûr qu'on l'a vu ensemble ?

J'entends bien, au son de sa voix, qu'elle me soupçonne d'être allé voir le film avec ma maîtresse.

Ma mâchoire se décroche. La Femme, certes parfois étourdie, mais habituellement dotée d'un cerveau qui fonctionne, est en train de devenir un légume. C'est tragique. Elle va donner naissance à un enfant et l'oublier à la maternité.

— J'ai accouché ?

— Oui, un magnifique petit garçon. C'est le plus beau jour de notre vie.

— Ça ne me dit rien. Tu es sûr ?

J'ai ressenti un tressaillement linguistique la première fois que j'ai formulé « je vais être père ». Nous allons *faire* un enfant, nous allons *avoir* un enfant. Le vocabulaire envisage la reproduction sous des angles opposés, actif ou passif, ascendant ou descendant. *Donner la vie*, c'est un acte de générosité qui élève. *Tomber enceinte*, c'est une chute qui induit l'abandon de soi, comme dans *tomber amoureux*.

Chez nos voisins, l'anglais est neutre : *she got pregnant*, elle est devenue enceinte. L'espagnol se montre ambivalent. *Embarazada*, qui se passe de traduction, implique une gêne. En revanche, *dar a luz*, donner la lumière, s'inscrit dans un registre solaire. Idem en italien avec *dare alla luce*. Je reste perplexe devant l'allemand, qui, pour *tomber enceinte*, nous propose ce très technique *in andere Umstände kommen*, c'est-à-dire : venir en autre circonstance.

Quant aux Belges, ils répètent en boucle *Papaoutai*. C'est l'été où Stromae chante *Tout le monde sait comment on fait les bébés, mais personne sait comment on fait des papas*. Dès que j'allume une radio, on me demande *Où t'es, papa où t'es ?* Papa, il est bientôt là et il se sent un peu paumé. Il ne doit pas être le seul, si j'en crois le succès du morceau. *Des géniteurs ou bien des génies, qui donne naissance aux irresponsables ?*, entonne le chanteur dans mon autoradio et je hurle *irresponsable* coincé dans l'embouteillage sur le périphérique et sous le regard effrayé de la conductrice voisine.

Génies-géniteurs, le morceau évoque les rapports entre création et procréation. John Lennon n'a pas été un bon père, Michel Houellebecq non plus. Ne parlons même pas de cet enfoiré de Rousseau, qui écrivait des traités d'éducation et a abandonné ses cinq rejetons – à sa décharge, cela se faisait couramment à l'époque. Quentin Tarantino et George Clooney n'ont pas d'enfant. Ils sont focalisés sur leurs œuvres. Je redoute que l'attention portée à ma progéniture capte toute mon énergie et tarisse ma sève artistique. Le conflit entre vies professionnelle et familiale ne concerne pas que les femmes. Bien des hommes ont vu leur carrière, leur créativité, leur pensée s'éteindre avec la paternité. *Un jour ou l'autre, on sera tous papa. Et d'un jour à l'autre, on aura disparu.* L'enfant, c'est la fin de la quête d'absolu.

À moins que ce ne soit ça, l'absolu ?

Je n'écrirai plus jamais de livre après cette naissance, je n'aurai jamais le Nobel de littérature, on va mourir de faim, on n'aurait jamais dû faire ça.

La Femme prend ma main et chuchote :

— Détends-toi. Regarde Tolstoï, il a eu treize gamins, ça ne l'a pas empêché d'écrire deux ou trois bouquins qui ont pas mal marché.

— Mais il est russe, ça compte pas. Ils ne sont pas comme nous, les Russes.

— Alors écoute Bach. Il a juste posé les bases de la musique occidentale et il a quand même pris le temps de faire une vingtaine d'enfants.

— Un Allemand ? Tu es sérieuse ? Tu sais comment ils disent *tomber enceinte*, les Allemands ?

— Faites des enfants. Faites des enfants, c'est la plus belle chose qui soit.

Nous nous promenons dans un parc, un dimanche après-midi. Il y a des centaines, des milliers de personnes, et c'est sur nous que le clodo jette son dévolu. Il est décharné, empeste l'alcool et il nous colle pour nous inciter à accomplir le miracle de la vie, alors que la grossesse de la Femme n'est pas encore visible sous son manteau. Pourquoi nous ? Nous nous promenions enlacés, il a dû déceler l'aura amoureuse au-dessus de nos têtes.

— Faites des enfants. Un beau petit garçon, une belle petite fille.

— On y travaille, figurez-vous.

Malgré l'incongruité de son intervention, le gars est bienveillant, pas agressif. Mais c'est un SDF bourré, un naufragé urbain, on sait que la vie dehors et la gnôle peuvent rendre fou et imprévisible. (« Ah oui, vous y travaillez ? Ben tiens, je vais t'éventrer, salope », dirait-il en sortant un hachoir). Aussi, je me tiens sur mes gardes. Je suis prêt à le neutraliser d'une main en une milliseconde au moindre geste d'animosité de sa part et je n'ai aucun doute sur le fait que j'y parviendrais sans difficulté. J'ai beau être le pacifisme incarné, je découvre à cet instant que l'instinct de protection de ma famille peut me transformer en bête sauvage (avec babines retroussées, grognement terrifiant et filet de bave).

Il s'avère que ce type ne tient pas du tout à éventrer ma femme. Il veut simplement nous inviter, comme il l'avait annoncé d'entrée, à nous reproduire, et nous l'éconduisons sans difficulté. Curieux oracle. Il portait des baskets de marque, toutes neuves.

Si l'enfant diminue le niveau de liberté, il gonfle le degré d'anxiété.

Mes inquiétudes générales, je les avais maîtrisées à coups de haussements d'épaules, je les camouflais sous les pirouettes et les sourires en coin. Je me réfugiais dans l'aquoibonisme et l'ironie, petits paravents contre l'épouvantable. Pour le quotidien, j'avais appris à slalomer entre les écueils. En voyageant, j'avais même prudemment acquis le goût du risque, nécessaire pour sortir de l'ennui des zones de confort. Si je meurs, c'est un peu triste, et voilà.

Plus pareil maintenant. Ça ne marche plus car je ne suis plus seul. On envisage le pire avec moins de détachement. L'ironie, ça ne protège pas les autres.

Le monde ne devient pas plus dangereux quand on devient père, mais notre rapport au danger se modifie. L'enfant ignore les menaces qui l'entourent. Il se jette sous les roues des voitures en buvant de l'ammoniaque avant d'aller accepter les bonbons du vieux monsieur bizarre avec son imperméable et son van. Il faut lui apprendre à survivre, se mettre dans la peau de Sarah Connor, l'héroïne de *Terminator*, pour préparer sa progéniture au chaos.

Je viens de comprendre pourquoi on tend à devenir conservateur en vieillissant. « Si on n'est pas de gauche à vingt ans, on n'a pas de cœur. Si on n'est pas de droite à quarante, on n'a pas de cerveau. » L'aphorisme est fameux et sa paternité floue, attribuée tantôt à Churchill, à Bismarck ou à Clemenceau. Il ne s'agit pas seulement de l'éternel conflit de générations, ou du fait qu'il est plus tentant de voter à droite quand on a quelques sous – les vieux sont en général mieux nantis. Le jeune a une vie à bâtir, il aspire à la liberté. Le parent a une famille, il aspire à la sécurité.

La Confédération helvétique reste l'un des pays les plus sûrs de la planète. Je suis assis au bord de la Suisse, à deux pas du lac, avec vue sur les montagnes françaises. Installé derrière ma table de dédicace, je bois un deuxième café alors que les premiers visiteurs de salon du livre commencent à affluer. La veille, j'ai rencontré Fred Valet, un journaliste lausannois de mon âge qui a écrit un livre sur la grossesse de sa femme. Il dit « sur ma grossesse ». Lui aussi « crève de trouille » devant « la catastrophe merveilleuse » que représente l'enfant avant de « faire la paix avec la lumière du jour » à la fin de son récit, qu'il m'a dédicacé ainsi : « Tu verras, on survit. »

Je m'apprête à prendre un troisième café quand une femme s'arrête devant moi et je vois bien qu'elle n'est pas de celles qui errent au hasard pour soupeser quelques livres et prendre Amélie Nothomb en photo. Cheveux courts poivre et sel, regard vif, élégante.

— J'ai une histoire avec votre dernier roman.

Elle m'explique calmement, avec une émotion contenue, que sa mère lui a donné mon livre sur son lit de mort. Il y avait un marque-page. « Je n'ai pas le temps de le terminer. Finis-le pour moi », avait dit la mère avant de mettre un point final à son existence. La confession de cette femme aurait fendu le plus endurci des cœurs. On n'imagine pas la solitude de l'écrivain tenu d'apposer une dédicace appropriée dans ces circonstances.

Moi aussi, un jour, je mourrai, et mon enfant sera triste, non seulement parce que je ne lui laisserai rien en héritage mais peut-être également parce qu'il ne m'en voudra pas trop de l'avoir mis au monde, et que nous aurons noué des liens d'affection. La vie est un trésor, mais personne n'échappe au deuil, à la maladie, à la tristesse et à la table basse qui se cogne contre le petit orteil au réveil. À cette aune, je culpabilise de faire apparaître une existence. Est-il moral de créer un être qui sera inévitablement confronté à la souffrance ? Est-ce que je me pose trop de questions ?

Voir ses parents partir est dans l'ordre des choses. Un enfant qui perd ses parents est un orphelin. Il n'existe pas de mot pour désigner le parent qui perd un enfant : ce vide est indicible. Si avoir un enfant constitue le plus grand des bonheurs, c'est aussi s'exposer au plus grand des malheurs.

Cette année, la famille revient au centre des enjeux de société. Des hordes manifestent pendant des mois en répétant « un papa, une maman ». La France est déchirée entre ceux qui veulent accorder l'égalité aux homosexuels et les autoriser à adopter, et ceux qui, peu ou prou, considèrent les pédés et les gouines comme des sous-citoyens. C'est une bataille de l'enfant qui se joue dans les rues.

Des marmots sont enrôlés par leur famille pour scander des slogans homophobes. Statistiquement, une partie d'entre eux se découvrira homosexuelle à l'adolescence. Ils se rendront alors compte qu'ils sont ce qu'on leur a appris à détester. Drôle de conception de la protection de l'enfance. Bonne chance, mes petits gars.

Les opposants au mariage pour tous dépensent beaucoup d'énergie pour préserver la civilisation d'une menace inexistante. Je préfère jeter un coup d'œil sur l'histoire et la géographie des structures familiales, qui ne sont ni figées ni uniformes.

C'est peu dire que le rôle du père a évolué dans le temps. Le daron tout-puissant, distant, autoritaire et garant de l'ordre, s'est effacé devant le père absent, figure de l'individualisme de la génération 68, pour laisser la place à une variété de nouveaux modèles, entre familles monoparentales ou recomposées et papas poules. Le législateur s'adapte. La notion de *puissance paternelle*, qui assurait au mâle l'autorité sur la famille, disparaît du Code civil en 1970. Il a fallu attendre 2014 pour que le *bon père de famille* soit rayé du droit français. Entre-temps, les congés paternité se sont allongés.

Je vais être un nouveau père, je compte bien être un *nouveau père*. Si je fais un enfant, je le fais comme il faut. Partager les tâches et les dépenses me semble naturel. Ce n'est pas une position idéologique, juste une question de politesse. Les vieux machos ricanent quand les papas jouent à la maman. Ces jeunes, vraiment des gonzesses. Je ne vois pas en quoi torcher les gosses ferait de moi une maman. Ça fera de moi un parent.

Assister au cours de préparation à l'accouchement n'altérera pas ma virilité. Je fais la vaisselle et ça ne m'empêche pas de mettre une claque sur les fesses de la Femme quand elle passe à côté de mon bureau. En donnant le biberon, je serai un homme plus complet, plus total. Et je vais te dire un secret, camarade réactionnaire : ça plaît aux femmes.

Je me souviens d'un Guatémaltèque stupéfait en apprenant que je n'étais pas père à 25 ans. « Tu es très en retard », s'était-il alarmé, sans imaginer que les us familiaux variaient en fonction des latitudes, car il n'était jamais sorti de son village où Lévi-Strauss n'était pas parvenu.

Regardons du côté de la Chine. L'ethnie moso, qui regroupe quelques dizaines de milliers de personnes de langue tibéto-birmane dans la région de Yongning, au sud-ouest du pays, forme une société matrilinéaire où le mariage n'existe pas. Les familles s'organisent en fratries. On ne vit pas en couple mais avec ses frères et sœurs. Les enfants grandissent avec leur mère et leurs tantes et oncles, ces derniers tenant le rôle paternel (les anthropologues parlent d'organisation avunculaire), ce qui n'est pas le cas des pères biologiques. Ceux-ci sont considérés, en quelque sorte, comme des agents reproducteurs faisant don de leur semence à la communauté. Il n'existe pas de terme pour désigner « papa ».

Pas de mariage, pas de divorce, pas de problème de garde des enfants. La vie sentimentale et sexuelle n'interfère pas dans la vie familiale. Les amours vont et viennent sans altérer la stabilité du groupe. À la puberté, les jeunes femmes héritent d'une chambre individuelle où elles peuvent recevoir leurs partenaires, ceux-ci étant tenus de rentrer dans leur foyer (chez leurs sœurs et frères, donc) au petit matin. Les couples ne s'appartiennent pas, la jalousie est mal vue. Les Moso sont des gros hippies et ça fonctionne depuis des siècles, en dépit des tentatives de la Chine maoïste pour instaurer la monogamie. Je le répète : nous avons beaucoup à apprendre des modèles orientaux.

Il existe une multitude de systèmes familiaux et d'autres seront inventés à l'avenir. Je vais ici me permettre de présenter mon concept éducatif révolutionnaire : la mutualisation des enfants. Rien à voir avec un projet politique totalitaire ou une utopie communautaire, c'est beaucoup plus simple. D'après ce que j'ai compris, les enfants sont une source de joie inépuisable, tempérée par un problème majeur : ils sont là en permanence. D'où mon idée des gardes partagées amicales. Au lieu de faire deux enfants, ce qui est la norme, faites-en un seul et arrangez-vous avec un couple d'amis. Des amis fiables déjà munis d'un mouflet. Refilez-leur le vôtre pendant une semaine, ils vous confient le leur la semaine suivante. Ainsi, chacun connaît le bonheur d'un foyer à deux enfants, puis la paix d'un couple sans contrainte. Il n'y a que des avantages.

Augmentation du temps libre, vie sexuelle retrouvée (il n'est plus nécessaire d'attendre la sieste des petits pour baiser en vitesse et en silence), économies substantielles et bilan carbone amélioré. Pas besoin de divorcer pour être au calme une semaine sur deux. Qu'attendons-nous pour généraliser le co-enfantage ? Deux papas, deux mamans, tout le monde est content.

Nous sommes un couple hétérosexuel, nous allons former une famille mononucléaire banale. On l'a vu, ce n'est pas l'unique façon d'être parent. L'exemple de la Femme contredit ceux qui estiment que le lien biologique est le seul lien parental légitime. Elle a été adoptée, moi non, et nous entretenons le même type de relations avec nos parents.

La Femme caresse l'idée, à l'avenir, d'adopter un deuxième enfant. Elle rêve d'une petite fille africaine, avec laquelle nous formerions une smala Benetton où coule le sang de trois continents. Une famille de pionniers, en avance sur l'inéluctable métissage d'un monde où, dans quelques générations, blanc ou noir ou asiatique ne voudront plus dire grand-chose.

Le projet d'adoption de la Femme diffère de ces caprices de stars qui consomment de la maternité en allant faire leur marché chez les petits malheureux. Il résonne avec sa propre histoire. La Femme ne veut pas sauver le monde, simplement rendre un peu de ce qui lui a été donné (son destin aurait sans doute été moins enviable si elle était restée dans son orphelinat coréen). De mon côté, j'ai toujours considéré qu'il était plus sage d'accueillir un enfant préexistant (il y a environ cent quarante-trois millions d'orphelins dans le monde) que de rajouter une personne sur notre planète surchargée. Mais nous avons commencé par l'autre option et je ne suis pas certain de vouloir deux gamins. Ou alors en co-enfantage.

C'est un garçon.

Une semaine de farniente sur la Riviera turque. Dans mon cas, c'est une faute professionnelle. Je suis censé être un voyageur aventureux et je me retrouve coincé en hôtel club formule all inclusive, avec des retraités qui laissent tomber leur dentier dans le taboulé du buffet à volonté. Je n'ai aucun scrupule. La Femme a besoin de repos. Loin de son stress quotidien et de l'automne qui commence à mordre le moral des Parisiens, la douceur du climat méditerranéen lui administre une dose de sérénité. Ce qui est bon pour elle est bon pour l'Enfant.

Le matin, nous lézardons au bord de la piscine surplombant la mer. Les monts Taurus peignent le fond du paysage de leurs nuances violacées. C'est magnifique mais je préfère regarder la Femme et son maillot de bain, sous lequel pointent désormais des seins dignes de ce nom. L'après-midi, nous nous échappons du ghetto quatre étoiles pour visiter un théâtre antique ou musarder dans les ruelles pavées d'Antalya.

— *She waiting baby ? It's good luck*, nous lance un commerçant sur le pas de son échoppe.

Oui, elle attend un bébé et ça se voit. Elle attend un bébé qui mesure une quinzaine de centimètres, avec un foie et des reins qui fonctionnent. Maintenant, il pisse dans le liquide amniotique. Un petit poisson dans son bocal.

Je ne parviens pas à expliquer la fierté qui m'envahit en entendant un vendeur nous dire « *she waiting baby* », alors que je sais bien qu'il s'agit d'une accroche commerciale. Nous nous laissons accrocher de bon cœur et entrons dans sa boutique. Nous prenons quelques cartes postales, pour respecter notre condition de touriste. Le commerçant refuse de nous faire payer.

Nous découvrons la bienveillance qui entoure les femmes enceintes, les couples enceints. Le sourire complice, la petite tape sur l'épaule. J'imagine que notre état renvoie les parents à leurs grossesses passées et provoque chez eux une tendre nostalgie.

Ce n'est pas une semaine de farniente absolu, il nous arrive de jouer au Scrabble (nous sommes un peu foufous). La Femme pense que son état l'autorise à tricher.

— On accepte le mot « boufle », hein ?

Je ne m'abaisse pas à répondre, il ne faut pas enclencher l'engrenage de la mauvaise foi.

— Allez, s'il te plaît, supplie-t-elle. Je te rappelle que je porte la vie.

Depuis que sa grossesse est apparente, la Femme entend profiter des avantages liés à son statut. Elle savoure les joies de la priorité. J'ai parfois l'impression que sa principale motivation pour tomber enceinte était d'éviter la queue à la caisse du Shopi. Cette petite victoire sur le quotidien que représente le fait de dire « pardon » d'un air faussement gêné pour passer devant tout le monde.

Nous descendons de l'avion à Orly, la Femme allume une cigarette (je l'engueule) et je la vois préparer son coup, avec l'air satisfait de celle qui jouit de sa malice avec préméditation. À la station de taxis, il n'y a pas d'attente. Comment doubler la file s'il n'y a personne dans la file ? La déception, la colère même, se lit sur son visage. À quoi sert de se priver de jambon cru si on ne peut même pas gruger ?

Nous vivons dans un deux pièces de 50 mètres carrés, qui est aussi mon lieu de travail. Nous devons trouver un nouvel appartement, avec une pièce de plus pour caser un berceau, une table à langer et une carte du monde pour que l'Enfant apprenne les capitales. Ça ne s'annonce pas comme une partie de plaisir, vu l'état du parc immobilier parisien.

J'enchaîne les visites collectives où vingt-cinq personnes jouent des coudes, prêtes à toutes les intrigues, afin d'obtenir la location d'un appartement à la salubrité douteuse pour un loyer qu'il ne faut absolument pas imaginer en francs sous peine de faire un arrêt cardiaque.

— Et pourquoi vous ne cherchez pas en dehors de Paris ?

Parce que le pavillon de banlieue ou le lotissement périurbain avec le feu de cheminée et la balançoire pour la marmaille représente le stade ultime de la sédentarisation, le dernier logement avant la maison de retraite.

— Et pourquoi vous n'achetez pas ?

Parce que nous ne sommes ni millionnaires, ni en 1996.

Quand un appartement nous plaît, nous ne plaisons pas au propriétaire. La Femme est en CDI, c'est un atout. Je suis freelance, c'est un problème. Oubliez le prestige de l'écrivain quand il s'agit de choses sérieuses comme l'immobilier. Même si vos livres se vendent, même si les critiques vous tressent des lauriers, même si vous êtes une idole dans certaines médiathèques de la Sarthe, vous restez un insolvable potentiel aux yeux des nantis, qui n'écoutent pas forcément France Culture.

Une trentaine de visites, aucun résultat. Les semaines passent et la Femme se tend, pressée d'aménager son nid. Il faut se dépêcher, l'Enfant a déjà des cheveux.

Conseillée par une amie, la Femme a pris rendez-vous chez « l'échographe des stars » en plein 7e arrondissement parisien, sur cette rive gauche où je ne m'aventure que poussé par le devoir. L'échographe des stars est une grosse truie antipathique et pressée. Elle dispose d'un matériel de haute volée pour jauger l'état du fœtus. Voici ses conclusions :

— Mouaif, tout va bien, à peu près. Faut juste surveiller ce notch. Ça fera 270 euros.

Le visage de la Femme pâlit. Elle ne sait pas plus que moi ce qu'est un notch. Qui sait ce qu'est un notch ?

— Attendez, attendez. Comment ça ? C'est quoi un notch ?

— C'est un ralentissement des vitesses circulatoires sanguines, se marquant sous la forme d'une encoche, quand elles sont analysées par Doppler pulsé. Il s'agit d'une cassure dans la courbe des vitesses circulatoires sanguines en rapport avec une anomalie de la constitution de la paroi du vaisseau sanguin étudié.

— Je vois. (Je ne vois pas du tout.) Et donc quelles peuvent être les conséquences ?

— Ah mais il est curieux celui-là, il veut tout savoir.

Oui, Porcinette, je suis curieux de nature et en outre, tu factures 1 771 francs le quart d'heure, il me semble que ça me donne le droit de te poser une ou deux questions concernant la santé de ma famille et d'entendre une autre réponse que :

— Enfin, vous verrez avec votre gynéco.

Je range soigneusement la facture en sortant du cabinet. On la retiendra sur l'argent de poche de l'Enfant.

À la gare de Sapporo, cinq jeunes femmes entourent une poussette en s'esbaudissant devant le bébé. La scène pourrait avoir lieu dans n'importe quel pays. Elle revêt ici une signification particulière. On se reproduit peu au Japon. Le taux de fécondité est l'un des plus bas du monde. La population décroît. Les rares enfants sont rois.

C'est un pays de vieux et je vais le vérifier lors de ce reportage. Je traverse l'archipel du nord au sud à bord d'une croisière de luxe, essentiellement peuplée de retraités nippons et français. Bercés par le clapot de la mer du Japon, nous cabotons d'Hokkaidō à Honshū. Le bateau s'arrête de temps à autre pour visiter une maison de samouraï ou une mégapole aux néons criards, un temple zen ou un musée d'art contemporain, façon de vérifier que le cliché « entre tradition et modernité » s'applique parfaitement au Pays du Soleil levant. C'est une mission tranquille, à défaut d'être exaltante. Tout est fluide. Le Japon fonctionne comme sur des roulettes, l'autodiscipline et le sens de l'étiquette caractérisant ce peuple forcent l'admiration du latin bordélique en moi.

La croisière bifurque pour une halte en Corée du Sud. Les passagers partent visiter Gyeongju, ancienne capitale de la dynastie Shilla, je passe la journée à marcher au hasard dans Busan, comme je le fais toujours quand je débarque dans une ville inconnue. Aujourd'hui, j'ai envie de m'arrêter à chaque coin de rue pour expliquer aux passants que je vais être papa et figurez-vous que mon fils est à moitié coréen. Je me retiens, conscient qu'ils n'en ont certainement rien à foutre. Pourtant, il y a peut-être dans ce pays une dame d'un certain âge qui, voilà trois décennies, a mis la Femme au monde. Peut-être vit-elle dans cette ville, pourquoi pas dans cette rue. La probabilité se jauge en millions, mais la petite vieille qui vend du kimchi sur ce marché pourrait être la grand-mère biologique de mon enfant.

Entre les escales, je suis coincé à bord avec des centaines de seniors qui dînent bruyamment, sonotone oblige. Conversation entre deux couples entendue à la table voisine :

— Notre fils ne s'est jamais marié, explique une mamie à sa nouvelle copine de vacances.

Son mari interrompt le mouvement de sa fourchette, offusqué :

— Mais enfin Sylviane, qu'est-ce que tu racontes ? Bien sûr que si, notre fils s'est marié.

Je recrache mon sashimi de rire. Qu'est-ce que ça veut dire ? Comment peut-on avoir oublié le mariage de son fils ? Il serait donc possible de faire des enfants et de reléguer leur existence dans un vague recoin de ses souvenirs ?

À Hiroshima, les enfants pullulent. Des groupes d'écoliers, bien rangés, accomplissent leur devoir de mémoire en parcourant le parc de la Paix, vaste espace de commémoration des victimes du 6 août 1945. Point d'orgue du site, le musée, hautement pédagogique, retrace l'apocalypse dans ses moindres détails. Une réplique de la bombe y est exposée. Elle mesure à peine trois mètres. Soixante-dix mille morts. Des témoignages de survivants sont diffusés. Une galerie présente des objets retrouvés dans les ruines de la ville. Une montre arrêtée à 8 heures 15. Une simple gamelle épargnée par le feu nucléaire. Des uniformes de collégiens en lambeaux. C'est un petit tricycle calciné qui restera gravé dans ma mémoire lacrymale.

Non loin de l'hypocentre, le point précis de l'explosion, un vieil homme porte un badge affichant la mention *survivant intra-utérin*. Il vient là, depuis des décennies, raconter son histoire aux visiteurs. Sa mère a vécu le bombardement atomique enceinte. Elle est toujours vivante.

Il règne un calme étrange dans ce parc où l'on marche sur les morts. Une cloche résonne. Quelques élèves, en uniforme impeccable, récitent une poésie devant le monument des enfants. La bombe larguée ce jour-là était baptisée *Little Boy*.

Les raisons de la faible fécondité japonaise sont identifiées : espace vital réduit, mariage tardif, vie professionnelle peu adaptée aux mères, coût de l'éducation, entre autres. Si les Japonais font peu d'enfants, le poids de l'Histoire doit aussi être pris en compte. Ce pays, qui se relève toujours des pires catastrophes, connaît le cycle du tragique. Les consciences s'en trouvent affectées. Je suis effleuré par l'idée que les Japonais, tellement soucieux de bienséance, ne font pas d'enfant par politesse, pour éviter de les embarrasser.

À Ōsaka, je reçois un message de la Femme. Elle a chuté en scooter. À l'arrêt, rien de grave. Elle a eu peur pour le bébé. Il y a un dégât des eaux dans notre salle de bains. Ses gencives saignent. Elle veut du chocolat et elle égare ses clés trois fois par jour. Nous n'avons toujours pas trouvé d'appartement. Rien n'est en ordre. Elle a besoin de renfort et de réconfort.

Je suis un monstre, ma femme enceinte trime dans l'automne et les embouteillages, je mange des sushis sur un yacht à l'autre bout du monde. En temps normal, j'aurais prolongé mon séjour professionnel par quelques jours de balade personnelle, afin de décortiquer l'âme de ce pays jusqu'à pas d'heure dans les bouges de Shinjuku. Je m'abstiendrai cette fois-ci.

À mon retour, c'est le mois de novembre. Je pose les mains sur le ventre de la Femme et l'Enfant bouge.

La Femme se relève toutes les nuits pour se goinfrer de céréales, avec une prédilection pour les Smacks qu'elle enfourne par poignées saisies à même le sac, vautrée sur le lit. Hors grossesse, elle présente une constitution de libellule, menue, gracile et aérienne. Après cinq mois de gestation, elle a déjà pris dix kilos, tout dans le ventre. C'est beaucoup à ce stade, le médecin lui a conseillé de se surveiller et ça l'a vexée.

— Tu crois que je vais retrouver mon poids après l'accouchement ?

— Il vaut mieux. Tu sais, c'est pas facile la vie de mère célibataire.

Une poignée de Smacks s'écrase sur ma figure. Mais elle rit, c'est bon pour l'Enfant.

Je m'endors tous les soirs avec la main posée sur ce ventre protubérant. On dirait un globe terrestre, nous sommes bel et bien embarqués dans un grand voyage. Je songe à dessiner les continents sur cette boule de chair tendue et déformée. Elle est traversée de mouvements telluriques, d'éruptions spontanées, de petits tsunamis. Ce ne sont que coups de pied et gargouillis. Ce n'est plus seulement un œuf, un embryon, un fœtus. Il y a *quelqu'un* là-dedans.

Les nuits de la Femme se compliquent, elle est réveillée par les coups de latte de notre petite racaille. J'essaie de le calmer en exerçant mon autorité paternelle. « Tu arrêtes de frapper ta mère, ou on t'appelle Jean-Patrick. » Depuis que son sommeil s'est allégé, la Femme prétend que je ronfle. J'ai envie de crier à la calomnie conjugale, mais je ne souhaite pas la contrarier.

Je me plie en quatre pour être aux petits soins. Je fais de notre appartement un havre de quiétude à son retour du travail. Je choisis des lumières douces et des musiques relaxantes. Je masse ses pieds endoloris. Je lave les radis un à un. Et bien sûr, je m'applique à lui prodiguer des orgasmes de qualité.

Ce livre ne serait pas complet si j'occultais la question de notre sexualité – je crois que le lecteur ne me le pardonnerait pas. Il n'y a pourtant pas grand-chose à raconter : nous n'avons pas vraiment changé nos habitudes. Au début, j'étais certes un peu emprunté, traversé par cette crainte irrationnelle : il y a un organisme vivant là-dedans, il ne faut pas le déranger. Ça passe vite.

L'entrain reste le même. Pas de pics hormonaux conduisant la Femme à me sauter dessus dix fois par jour. Pas de libido en berne non plus. Certains couples mettent leur sexualité entre parenthèses pendant neuf mois. Grosse erreur. Le sexe est excellent pour la santé familiale, les endorphines produites lors de l'orgasme irriguent le système de la Femme comme celui de l'Enfant. Il est de notre devoir de faire l'amour consciencieusement.

J'imagine qu'à la fin de sa grossesse, les options seront réduites. Nous nous adapterons à la nouvelle configuration de son corps, il faudra oublier la brouette bulgare.

En Islande ou en Suède, on prénomme les bébés plusieurs mois après leur naissance. Je suppose que cette tradition remonte aux temps où la mortalité infantile était élevée dans ces contrées où la température est basse. Cela devait être moins douloureux de perdre un enfant sans identité.

Nous sommes en France, le climat est tempéré et on doit déclarer l'enfant dans un délai de trois jours après sa mise au monde. Nous commençons à y songer, conscients de l'importance de l'enjeu. Nous nous souvenons tous d'un copain d'école au destin brisé par un prénom calamiteux (je me demande d'ailleurs ce qu'est devenu ce type que ses parents avaient eu la riche idée d'appeler Robin Dubois). Depuis le début de la grossesse, nous utilisons un nom de travail ironique. Raoul. À force de le verbaliser au quotidien, nous avons effleuré l'idée de l'appeler ainsi pour de bon. Réflexion faite, ce ne serait pas un service rendu à l'Enfant.

Procédons par élimination : Adolf, Mao, Oussama, Jean-Patrick, impossible. Pardon, chers Jean-Patrick, vous avez un prénom pourri, c'est un fait.

Pour nous conformer à notre sociotype, nous pourrions surfer sur la vague des prénoms désuets. Mais nous avons déjà le quota d'Achille, Oscar et Simon dans notre entourage. Nous étudions les succès de l'année sur prenoms.com pour éviter que notre fils se retrouve en classe avec quatre ou cinq homonymes. Vade retro Armand, Jules et Lucas. (En anticipant les cycles et les retours de tendances, on peut même prévoir que Michel et Bernard (peut-être même Jean-Pat) reviendront à la mode dans quelques années.)

On nous a prêté un livre rempli de suggestions grotesques. Qui sont ces gens qui ruinent l'ave-nir de leurs enfants en les appelant Cunégonde et Térébenthine ? Quelles sont leurs motivations pro-fondes ? Et quels sont leurs réseaux ?

Je suis tenté par les noms de lieux exotiques, une île du Pacifique ou une capitale lointaine, pour épan-cher ma passion de la géographie et placer cet enfant sous le signe du voyage. Tarawa ? J'ai un doute, ses copains en feront des tartines. Paramaribo ? Pas sûr non plus. Clipperton, je ne le sens pas. Il faut l'imaginer dans un quotidien. « Timor oriental, à table ! », c'est compliqué.

La Femme et moi tombons facilement d'accord sur un prénom court, à la fois original (579ᵉ au classement) et universel (tout le monde le connaît). Nous sommes satisfaits. Tout comme devaient l'être les parents de Jean-Patrick.

Une autre question nous turlupine. Nous sommes décidés sur le prénom, pas sur le nom. J'aimerais que notre enfant porte celui de sa mère, simple et neutre, afin de lui éviter les désagréments d'un nom composé improbable comme le mien.

La Femme approuve. Mes parents s'en foutent. Ils veulent un beau petit-fils en bonne santé, ils n'accordent pas d'importance au fait que leur patronyme s'efface dans l'aventure. Le reste du monde, étonnamment réactionnaire, crie au scandale. « Comment ? Tu ne veux pas transmettre ton nom à ton fils ? » Écoutez, je ne crois pas que ce soit primordial. Transmettre mon amour devrait suffire.

Je viens de lire l'histoire de ce Chinois qui a attaqué sa femme en justice parce que leur enfant était laid. L'épouse devait sa plastique avantageuse à de multiples opérations de chirurgie esthétique, ce qu'elle avait dissimulé à son mari. Celui-ci s'est senti floué sur le plan génétique.

Nous avons tous été confrontés à cette situation délicate : trouver la réaction appropriée quand on nous présente un enfant moche. L'honnêteté peut conduire à exprimer la vérité crue. « Dites donc les amis, je ne sais pas comment vous vous êtes débrouillés, mais il est vraiment repoussant votre lardon. » L'honnêteté peut nuire, c'est pour cela que le mensonge a été inventé. Je déconseille toutefois la politesse forcée devant un bébé monstrueux. Ce « qu'est-ce qu'il est beau ! » émerveillé ne passera pas et votre hypocrisie risque de blesser un peu plus des parents déjà accablés par la douleur d'avoir enfanté un Gollum. Pris de court, certains s'enferment dans un silence gêné, après avoir laissé échapper un « ah ouais quand même… » Faites plus simple : « trop chou » vous sortira d'affaire. Ce n'est pas mentir. On peut être vilain et trop chou. Dans tous les cas, évitez de vomir.

Et ne vous moquez pas, ça peut arriver à tout le monde. Ça peut nous arriver. Femme, on fait quoi s'il est moche ?

Et comment on va faire quand on divorcera ? Je ne fais pas preuve de pessimisme, mais d'humilité en admettant l'évidence statistique. À Paris, un couple sur deux divorce. La plupart des séparations ont lieu dans l'année suivant une naissance.

La famille est un carcan qui prive des fulgurances de la passion, qui cadenasse la femme et l'homme dans un bonheur de basse intensité. On vit plus longtemps, plus sereinement, mais est-ce que ça vaut le coup, si la vie est molle ?

Elle va peut-être me quitter pour un acteur américain (ce que je m'engage solennellement à ne pas faire). Je vais peut-être la quitter pour une poétesse burkinabé. D'autant que la quarantaine approche, on ne peut pas prévoir la forme que prendra la crise de milieu de vie. Vais-je acquérir une Harley-Davidson ? Ouvrir un restaurant éco-responsable qui servira des steaks de sauterelles ? Investir dans une laverie automatique ou dans une Biélorusse de 22 ans ?

Ce serait moche. La violence des ruptures, les vies à recommencer, le grand vide et les nouilles tout seul devant la télé. « Avant, je pleurais, maintenant, je ne pleure plus », explique le copain de classe de mon neveu, en parlant de ses parents qui se déchirent. C'est triste, un enfant de 10 ans qui ne sait plus pleurer.

La Femme, avec le bon sens salvateur qui la caractérise, me rappelle que rien ne nous oblige à divorcer, d'autant que nous ne sommes pas mariés.

La Femme a fait un malaise.

Elle a procédé ce matin au test visant à déceler la présence d'un éventuel diabète gestationnel. Prise de sang à jeun dans un laboratoire aux néons agressifs. Ingestion d'une infâme solution au glucose, en grande quantité. Interdiction de vomir sous peine de recommencer. Une heure d'attente. Deuxième prise de sang. Une heure d'attente. Troisième prise de sang. Bouffées de chaleur. Sueur et vertiges. Baisse de tension.

Six heures plus tard, son visage présente encore une teinte cireuse inhabituelle. Elle est jaune. Je m'empresse de lui servir un seau de Smacks. Allongée sur le canapé, la Femme, qui ne se plaint jamais, exprime sa lassitude.

La grossesse a jusqu'à présent épargné sa vitalité, intacte. Elle constate toutefois un dérèglement de ses fonctions mémorielles et langagières. Elle cherche son téléphone et ses mots en permanence.

— J'ai du mal à terminer mes phrases. Et quand je les termine, je dis des choses que je ne voulais pas dire.

— Il paraît que c'est très courant dans ton état.

— Ma mémoire immédiate s'effiloche. Une fois sur deux, je dois faire répéter la phrase que je viens d'entendre.

— Il paraît que c'est très courant dans ton état.

— Parfois, je bugue. Hier, j'ai confondu la Concorde et le palais des Congrès. J'ai l'impression d'être en chantier, avec un panneau *En construction* accroché dans la tête.

— Tu n'as pas oublié que je pars en reportage la semaine prochaine ?

— Non, je ne suis quand même pas lobotomisée à ce point. Tu reviens quand déjà ?

— En 2032.

Une nuée de gamins se faufile entre les voitures. Ils ont entre 5 et 10 ans, ils mendient dans les embouteillages. Pieds nus, en haillons crasseux, pas épais. L'un d'entre eux se colle aux fenêtres de mon taxi et rameute ses collègues.

— *Oyibo, oyibo !*

Oyibo, c'est le Blanc en yoruba. Mon taxi est cerné par les petits crève-la-faim.

— *Please, master, money. Give me something.*

J'ai déjà vécu cette situation sur tous les continents. C'est la première fois depuis que j'attends un gosse ; mes mécanismes de protection habituels s'en trouvent altérés.

À Lagos, on fait beaucoup d'enfants mais je ne vois pas de poussettes. Plus de la moitié de la population du Nigéria a moins de 18 ans. Ce sera le troisième pays le plus peuplé du monde en 2050. Lagos est un chaos effervescent qui fonce vers le futur en toute confiance. Ici, on croit en l'avenir, comme dans la plupart des pays africains, asiatiques et sud-américains que j'ai parcourus. Le moral d'une nation se jauge à sa dynamique, pas à son niveau de développement. Ils partent de loin, mais ils progressent vite.

Je viens d'un pays prospère qui s'appauvrit, un pays qui ne s'aime pas, engoncé dans la conscience de son propre déclin. À mes retours en France, je suis toujours atterré par la sinistrose qui y sévit et je ne suis pas certain de vouloir faire grandir mon fils dans cette ambiance.

Je m'aventure dans un bidonville planté dans la lagune de Lagos. C'est une sorte de Venise africaine où des cabanes sur pilotis surplombent un égout à ciel ouvert, des canaux noirâtres moins constitués d'eau que de merde et d'immondices. Des centaines de milliers de personnes s'entassent dans ce quartier, principalement des immigrés béninois vivant de la pêche et de la coupe du bois. Les gamins nagent là-dedans, cul nu, cheveux orangés par les carences en protéines. Les grands frères de 6 ou 7 ans portent des bébés comme des sacs de patates, sautent d'une barque à l'autre pour aller de l'école au temple et du temple à la cabane, où l'on a la télé mais pas toujours un frigo.

À deux pas du bidonville, d'immenses panneaux publicitaires vantent les mérites d'une marque de champagne. Le Nigéria est un pays pétrolier aux ressources immenses et aux inégalités monstrueuses.

Le soir, sur Victoria Island, je me laisse entraîner dans une boîte de nuit sur le parking de laquelle ronflent les Porsche et les Ferrari. Une caste d'ultra-riches y flambe cigare au bec en respectant scrupuleusement les codes du bling-bling globalisé ; on pourrait tout aussi bien être à Miami. « Dans ce pays, on devient millionnaire en une journée », m'explique une productrice de films russo-nigériane en enchaînant les cognacs à une vitesse stupéfiante.

C'est pour ça que je suis à Lagos. Pas pour devenir millionnaire, mais pour faire un reportage sur le cinéma. L'industrie locale, surnommée Nollywood, sort chaque année des milliers de longs-métrages qui envahissent le continent et séduisent les diasporas africaines anglophones en Occident. Ces films sont en général catastrophiques mais ils ont l'intérêt de montrer une Afrique vue par des Africains.

Accompagné de Coco, un collègue photographe tout-terrain, j'assiste à un tournage dans un quartier où le consulat m'a vivement déconseillé de me rendre (« On en a marre des gérer les kidnappings de nos ressortissants »). Le film s'intitule *Man Down*, une histoire de gangsters filmée dans un terrain vague avec un Canon 5D, un trépied et quelques armes de poing neutralisées pour tout matériel. Le réalisateur improvise le script au fur et à mesure, un acteur râle parce qu'il ne tue jamais personne, tout cela se rapproche finalement de l'esprit Nouvelle Vague.

Soudain, le réalisateur se frappe le front : il a une idée.

— Les gars, vous voulez jouer dans le film ?

Coco et moi ne nous faisons pas prier, on n'a pas souvent l'occasion de jouer les guest-stars dans un film africain. Mais quel rôle nous attribuer dans une guerre des gangs de Lagos ? Nous n'avons pas le profil local. Le réalisateur s'éclipse et revient une minute plus tard, kalachnikov factice en main, vêtu d'une djellaba et coiffé d'un chèche :

— On va tourner une scène où Boko Haram enlève des journalistes.

C'est ainsi que nous nous sommes retrouvés sur l'affiche d'un film vendu en DVD pour une poignée de nairas sur les marchés du Nigéria. Nous ne tournons qu'une scène, j'ignore comment elle a pu être intégrée au scénario, ce sera incompréhensible.

La scène, donc. Nous nous faisons braquer et embarquer dans une voiture qui démarre en trombe pendant que la petite amie du réalisateur lance des pétards (effet spécial) sous le regard des habitants du quartier. Emporté par la dynamique de ce cinéma-vérité, je m'autorise une réplique improvisée : « *Please don't shoot, I have a baby.* »

Cent quarante millions de naissances chaque année dans le monde. Quasiment un Nigéria de plus tous les douze mois. L'humanité vit déjà à crédit sur les ressources d'une planète qui ne supportera pas une telle pression très longtemps. Pas besoin de lister les dangers qui nous menacent ou d'ergoter sur notre propension à l'autodestruction, il suffit de lire la presse. Nous faisons un enfant sur le *Titanic*.

La Femme n'est pas inquiète. Des guerres et des misères, il y en a toujours eu. Ce n'est pas pire de nos jours et nous sommes à l'abri.

Il est question d'apocalypse dans tous mes livres et mon point de vue sur l'époque est sensiblement différent. Le rétrécissement de la géographie accélère l'Histoire. La globalisation de l'information démultiplie les haines. Les consciences empoisonnées par le spectacle du malheur se réfugient dans la violence. Personne n'est à l'abri. Surtout quand le point de non-retour environnemental est déjà peut-être atteint. L'avenir nous le dira, s'il y a un avenir.

Je ne peux plus me complaire dans un dandysme findumondiste goguenard. « Soyons désinvoltes, n'ayons l'air de rien », je n'ai plus le droit. J'ai besoin de me nourrir d'optimisme. La lecture de Jeremy Rifkin m'est d'un grand secours. D'après l'essayiste américain, le moteur des sociétés n'est pas la violence mais l'empathie. C'est parce que la violence est hors norme que nous la retenons comme la matière première de l'Histoire. Nous passons plus de temps à serrer la main de nos voisins qu'à leur défoncer la gueule. Ça n'attire pas notre attention car c'est l'évidence du quotidien.

Outre la théorie, les faits peuvent nous rendre espoir. À l'échelle planétaire, la pauvreté recule, l'alphabétisation progresse, tout comme la démocratie. Écologie mise à part, on peut considérer que le monde ne s'est jamais aussi bien porté. Là encore, c'est notre perception des événements qui nous persuade de la catastrophe.

C'est la Femme qui a raison. Ne nous gâchons pas la vie alors que nous sommes au chaud sous la couette et qu'un clic nous suffit à accéder au dernier David Fincher ou au nouveau clip de Kanye West. Si nous sommes sur le *Titanic*, l'orchestre jouera jusqu'au bout.

1ᵉʳ janvier, 0 heure 20. La Femme enflamme le dancefloor, remuant son petit cul comme si elle n'avait pas un gros ventre. Elle rayonne de grâce et je suis affalé dans un canapé, vodka à la main, sans partager l'enthousiasme général. Un nouvel an, un nouveau-né. Bonne année, pas sûr.

Nous entrons dans les derniers mois et ce sont les plus délicats. Plongé dans un baby blues prénatal, je suis traversé par des flux contradictoires de plus en plus intenses. L'habituelle alternance de joie et d'angoisse, au carré. La nuit dernière, je me suis réveillé en sursaut après avoir vu le visage monstrueux de l'Enfant dont les dents acérées me menaçaient à travers le ventre translucide de la Femme. J'ai aussi rêvé que la Femme martelait sur un ton solennel : « La guerre du pâté en croûte est déclarée. Et ça promet d'être une sale guerre. »

Dois-je me risquer à interpréter ces messages de mon inconscient ?

Est-ce que l'Enfant, une fois conscient, m'en voudra d'avoir exprimé mes doutes quant à la pertinence de son existence dans la mienne ?

Est-ce vraiment une bonne idée d'écrire ce livre ?

N'ai-je pas déjà dit que je me posais trop de questions ?

Les amis passés par là me tapent sur l'épaule dans un geste mêlant compassion et solidarité virile. Celui-ci me confie son sentiment de relégation au sein de sa famille, cette impression ne plus exister comme mari ou amant pour sa femme toute focalisée sur le nouveau-né. Celui-là s'est écroulé sous la charge émotionnelle le jour de la naissance. Il s'est enfermé chez lui, une bouteille de whisky à portée de main, rongé par la peur et la culpabilité. Envoyer un SMS pour annoncer son bonheur alors qu'il gisait au fond du trou lui semblait au-delà de ses forces. Ou encore celui-là, qui couvre des guerres sans trembler et s'effondre quand sa femme lui annonce sa grossesse. Je parle ici de gars costauds, structurés, intelligents.

Il ne faut pas prendre le daddy blues à la légère. J'ai vu des hommes sombrer, devenir fous, anéantis par la violence du choc remettant en cause tout ce qu'ils étaient, ce qu'ils croyaient être.

Tous sont d'accord là-dessus : les derniers mois, on en bave. Car cette fois, c'est réel. On ne rigole plus. Demain, là, il y aura un être en plus.

Et ce ne sera que le début des embrouilles. C'est bien mignon de ratiociner sur les implications philosophiques de la venue d'un enfant. Je ferais mieux de reconsidérer mes spéculations intellectuelles sous un angle pratique.

Il faudrait que j'apprenne à préparer un biberon. Que je gagne suffisamment d'argent pendant les vingt-cinq prochaines années, ce qui nous amène jusqu'à l'âge de (ce calcul a été effacé par mon cerveau). Et que je me pose la seule vraie bonne question : comment ça marche, un enfant ?

La Femme danse, surnaturelle. Elle se tourne vers moi, toujours affalé, et m'assène sa petite moue aguicheuse en mimant les paroles de la chanson.

« So won't you please, be my, be my baby ? »

Mon amie Estelle a eu la gentillesse de me prêter sa fille pour un tour au parc, afin que je m'entraîne à mon rôle de futur père. Je suis allé à l'aire de jeux avec Rose, ses boucles blondes et ses grands yeux bleus. Toboggan, manège, gestion des conflits de bac à sable : j'ai assuré comme un chef, je considère que j'ai passé mon permis bébé.

J'ai remarqué à cette occasion que la compagnie d'un humain mesurant moins d'un mètre bouleverse les règles élémentaires de la sociabilité. Des inconnus vous parlent. Sans vous saluer, sans s'enquérir de votre prénom, ni même de votre éventuelle envie de communiquer, ils vous abordent pour vous poser des questions intimes.

— Ouh, qu'elle est mignonne cette petite fille, lance une vieille dame, accorte quoique hystérisée par le spectacle de l'enfance.

— Ah oui, c'est vrai qu'elle est adorable, réponds-je poliment.

— Et elle a quel âge ?

Voilà le moment où je me gratte la tête. Ce n'est pas facile de retenir l'âge des enfants, ça change tout le temps.

— Je dirais entre 2 et 5 ans. Enfin, par là, quoi.

Regard effrayé de la mamie. Quel genre de type peut bien ignorer l'âge de l'enfant qu'il tient par la main ? Je lis dans ce regard : *Alerte pédophile*. Je ramène vite Rose à sa mère avant l'arrivée de la police.

L'enfant active notre instinct de protection. Il attire la sympathie. C'est un des grands mystères de l'humanité. Dans nos sociétés si codifiées, où l'apparence triomphe, comment expliquer notre comportement avec les enfants, qui se traduit par l'effondrement de toute dignité ?

Vous arrivez chez des amis. Et avant de les saluer, vous vous jetez sur Martin en couinant : « Et alors, qui c'est le plus joli ? Hein ? Qui c'est le plus joli ? Pouti, pouti, pouti. *Salut Cédric, ça va ?* Ouh, qu'il est beau, je vais le manger. Pouti, pouti », en chatouillant le ventre d'un être humain âgé de 2 ans (par là) qui tente de se dégager de votre emprise pour retourner jouer avec ses Barbapapa, largement moins intrusifs que vous.

Vous faites ça et personne ne vous en tient rigueur. C'est normal.

C'est la magie de l'enfant, représentant terrestre de la lumière, la pureté et l'innocence. Enfin, innocence, il faut le dire vite. Certains gamins sont d'authentiques ordures.

J'ai mené une enquête, certes non scientifique, mais tout de même solide, en recoupant divers témoignages : il s'avère que les enfants sont d'extrême droite. Goût de la délation, force physique préférée à la pensée critique, exclusion instinctive des plus faibles, rien ne manque à la panoplie (à part peut-être le rejet du parlementarisme, la position des enfants n'est pas claire sur ce point-là). Dieu merci, ils n'ont pas le droit de vote.

Il n'y a rien de plus cruel qu'un enfant. Qui fait fumer des crapauds jusqu'à ce qu'ils explosent ? Qui traitait la Femme de chinetoque à l'école ? Qui martyrise le petit gros à lunettes dans la cour de récréation ? J'ai parfois des bouffées de honte en repensant au CM2 et à mon comportement avec Emmanuel P, un garçon gentil et obèse, dont il était facile de se moquer pour faire le malin devant les filles (Emmanuel, si tu lis ces lignes, je te demande pardon. Sincèrement. J'ai changé).

L'enfant a une moralité incomplète. Il chie à table. Il part en hurlant quand on lui dit bonjour. Il frappe ses semblables pour manifester son affection.

Quand il grandit, il se révèle ingrat (pensez au père Goriot se saignant pour ses deux morues de

116

filles qui ne prennent même pas la peine de venir à son enterrement). L'enfant devient vite un adolescent monosyllabique qui fume des joints devant sa console de jeu. Pire, il devient adulte. Et là, l'enfer est envisageable. Rien ne nous garantit que nos gamins ne deviennent pas des monstres criminels. Marc Dutroux a été un enfant avant d'en assassiner.

Nous allons accueillir dans notre foyer un petit sauvage que nous devrons rendre fréquentable. Comment fait-on ça ?

Après des mois de recherches, nous avons enfin trouvé un appartement en bidonnant les fiches de paie de mon dossier. Nous essayons de faire rentrer nos vies dans des cartons, l'occasion de trier nos affaires et de renouer avec des fragments de passé noyés sous des strates de présents successifs. Des vieux carnets de notes, des articles écrits pour des journaux disparus, des retranscriptions d'entretiens. Tiens, j'ai interviewé un prix Nobel de la paix, une gloire d'Hollywood, une chanteuse oubliée, un débutant devenu star mais aussi une viticultrice de Bandol et le président de l'Association des personnes de petite taille.

Je retrouve de vieux souvenirs de voyages, un billet d'avion pour Tbilissi, une carte postale de la mosquée Sheikh Zayed d'Abu Dhabi, un ticket de métro de Singapour, un prospectus du Corcovado. Pour faire de la place au petit être qui tambourine aux portes de la vie, il faut jeter, se dépouiller de ces reliques inutiles qui dessinent des bouts de mon identité.

J'écrème aussi la bibliothèque. Je me sépare d'une centaine de livres que je n'ouvrirai plus ou que je n'ai jamais ouverts. Adieu *Guide pratique du massage de la voûte plantaire*. Adieu *Les Institutions de la Ve République* (édition 1987). Adieu romans de saison. Ma bibliothèque actualisée, miroir de mon cerveau, paraît plus rassurante une fois resserrée sur ses fondamentaux.

Le jour J, une armée d'amis s'est mobilisée pour empoigner tous ces cartons. La Femme dirige la troupe avec ce sens de l'organisation et cette autorité naturelle laissant penser qu'elle descend de Kim Jong-il. En une journée, nos existences sont transférées d'un lieu à un autre, situé à 300 mètres de là. (J'ai le goût de l'aventure, mais pas au point de changer de quartier.) Suite du programme : déballage et remise en ordre. C'est là que les choses se gâtent.

Mes aptitudes sociales me permettent de survivre dans des endroits aussi périlleux qu'un bidonville de Lagos ou le Café de Flore. En cas d'apocalypse, je saurais dépecer du gibier de montagne (je dispose en effet de cette compétence, assez peu répandue chez les écrivains parisiens). Mais voilà : pour être un homme, surtout un homme qui déménage, il faut savoir monter une étagère. Or, le bricolage, c'est comme le rythme, on l'a ou on ne l'a pas. Donnez-moi une perceuse et vous aurez une idée de la réaction d'un lapin devant un Ipad.

Je dois monter des étagères dans ce nouvel appartement nu. Que faire ? Regarder des tutoriels sur internet ? Appeler un pote ? Mes amis sont aussi glands que moi, rien que de la racaille d'intermittents et d'intellos précaires incapables de distinguer une clé de douze d'un démonte-pneu.

Heureusement, la Femme a une amie passionnée de bricolage. Aurélie, charmante trentenaire, débarque dans mon salon munie de sa caisse à outils. Elle sonde les murs pour évaluer la situation.

— C'est bon, là c'est du contreplaqué, les doigts dans le nez. Mais au fond, c'est du béton armé, faut que j'aille chercher la perfo.

J'essaie d'articuler quelque chose pour signifier mon approbation, mais je vois bien que j'ai disparu de la scène. Deux femmes, dont l'une est enceinte jusqu'aux yeux, sont en train de tracer des niveaux dans la penderie en toute confiance. Je pianote sur mon téléphone pour me donner une contenance. Je me sens inutile ; c'est une bonne préparation pour l'accouchement.

J'ai une aversion pathologique pour les magasins, surtout quand ils sont grands. Je déteste les objets, c'est comme ça.

Voici quelques années, quand nous avons emménagé ensemble, nous manquions de mobilier. C'était un de ces moments douloureux où le destin ne vous laisse pas le choix. Il fallait se rendre chez Ikea. J'avais mobilisé mon énergie et anticipé les pièges. Je suis entré dans le magasin gonflé à bloc. La liste était constituée, le parcours balisé, rien ne nous détournerait de nos objectifs.

Au bout de quinze minutes, je me suis écroulé sur un fauteuil Ektorp Tullsta, terrassé par la puissance maléfique du temple universel de la consommation. À quoi bon acheter un presse-agrumes alors que la vie n'a aucun sens ? Je me suis simplement effondré, réduit à néant, vaincu : vas-y Femme, achète ce que tu veux, moi je meurs ici.

Aussi, quand une nouvelle virée chez Ikea semble inévitable pour garnir notre logement, la Femme, soucieuse de ma santé, ne me demande même pas de l'accompagner.

— Tu es sûre que tu ne veux pas que je vienne avec toi ? (Je demande par acquit de conscience et en priant tous les dieux du cosmos qu'elle ne change pas d'avis.)

— Oui. Reste ici, repose-toi. L'accouchement est pour bientôt. Tu as besoin de toutes tes forces.

Je ne la laisse pas partir seule, elle dispose d'une escouade de copines se réjouissant à l'idée d'une escapade suédoise. Je suis tout de même inquiet. La Femme est enceinte de presque sept mois. Je consulte mon téléphone toutes les vingt secondes, tout pourrait se déclencher à n'importe quel moment. Une de mes amies a perdu les eaux chez Ikea – ça arrive souvent.

Je redoute également qu'elle acquière la moitié du magasin. La Femme fait son nid et elle ne craint pas l'accumulation. Elle a toujours montré une étrange propension à acheter des boîtes pour les ranger dans d'autres boîtes.

L'arrivée de l'Enfant va diminuer notre espace vital, privilégions l'épure. Les objets sont nos ennemis. On finit toujours étouffé par ses possessions, l'homme libre se contente d'un baluchon.

Se contentait.

La Femme n'a pas perdu les eaux chez Ikea. Outre les meubles, elle a dégotté une petite combinaison fourrée avec des oreilles d'ours sur la capuche, taille 3 mois. Le genre de niaiserie qui m'aurait fait ricaner quelques mois auparavant quand, aveuglé par la dérision, j'étais incapable de me rendre compte que ce vêtement est en réalité *trop mignon*.

C'est à moi de prendre le relais. Je vide des cartons, visse des pieds de table, organise l'espace du salon de façon optimale. Je me prends au jeu. Un nouvel appartement, chouette, faisons en sorte que l'écrin où s'épanouira notre progéniture soit chaleureux et accueillant.

Après une journée passée en compagnie des notices de montage, je regarde l'ouvrage accompli et déclare que : « Ces bougies parfumées habillent merveilleusement la pièce. » En trois décennies, je ne m'étais jamais posé *sérieusement* la question de mon orientation sexuelle. Là, je me rends bien compte que cette phrase est la plus gay que j'aie jamais prononcée. Si je me laisse aller à cette frénésie d'agencement intérieur, je vais finir par trouver cette lampe « complètement craquante » et après on ne sait pas jusqu'où ça peut aller, on se réveille un matin en sifflotant du Mylène Farmer.

Le soir, je regarde PSG-Leverkusen la main dans le caleçon, en rotant des Heineken.

La Femme vient d'accoucher et je suis englouti par une sensation de plénitude inédite. Un Bonheur Absolu, comme je n'en ai jamais ressenti éveillé. Je rêve mais l'émotion qui m'étreint, réellement, est neuve, sans égale en trente-sept ans d'existence. J'ai rêvé que j'étais heureux, totalement.

Cette sensation, bouleversante, me suit pendant des jours. Je marche sur un sol pavé de lumière. Quelque chose s'est débloqué. Une étape a été franchie dans mon cheminement vers la paternité. Les montagnes russes émotionnelles s'aplanissent et j'atteins une stabilité confiante. Cet enfant va venir. Quoi qu'il arrive. J'exerce une pensée positive. Je n'ai plus peur.

Autour de la vingt-huitième semaine, le fœtus développe une mémoire des sons et des mots. Le cerveau humain est une machine miraculeuse qui n'attend pas l'acte de naissance pour fonctionner. J'attendais ce moment avec impatience. La possibilité d'une première communication, d'un contact culturel avec mon fils. J'ai fourbi mon plan. Nous allons lui parler en anglais et en chinois pour qu'il se familiarise avec les phonèmes des langues du futur au stade intra-utérin. Mon plan pour en faire un génie polyglotte bute sur un premier obstacle : je ne parle pas chinois, la Femme non plus. Peu importe : nous allons télécharger des dessins animés en mandarin et les regarder pendant notre sommeil pour que l'Enfant soit imprégné. À 5 ans, il rachètera Shanghai.

Revoyons nos ambitions à la baisse. Nous allons lui présenter le patrimoine musical de l'humanité pour développer son intuition harmonique. Je confectionne une playlist de grossesse suivant des critères scientifiques et des marottes personnelles. Mozart et les Beatles. Dave Brubeck. Ali Farka Touré. Ravi Shankar. Elvis, Nina Simone et Joe Dassin.

Le casque posé sur le ventre nu de la Femme, j'appuie sur *play*. L'Enfant réagit, donne des coups qui dessinent sur la peau de sa mère une chorégraphie initiale. Fait-il des loopings pour manifester son contentement à sa première écoute de *Take Five* ? Ou cogne-t-il au plafond pour signifier « c'est pas bientôt fini ce bordel ? Y en a qui veulent dormir » ?

Je lui chuchote les références des morceaux pour le prédisposer au blind test. (« Ce que tu entends là, c'est *Mother Nature's Son*, morceau écrit par Paul à Rishikesh et paru sur le *White Album* le 22 novembre 1968 chez Apple Records. »)

J'aimerais lui raconter des histoires, lui lire des passages de l'*Odyssée* (« et après ce long voyage, le papa retrouve son fiston ») ou du Kierkegaard (« La vie n'est pas un problème à résoudre mais une réalité dont il faut faire l'expérience »). Je dois me contenir, il ne faut pas précipiter les apprentissages. Le miracle du cerveau humain a ses limites.

Alors je lui susurre de petites choses simples, comme « je t'aime déjà. » Je me sens un peu ridicule et je préférerais prononcer ces mots en tête en tête avec lui, quand sa mère a le dos tourné. Ce n'est, hélas, techniquement pas possible.

Pour les besoins de ce livre, j'ai dû faire des infidélités à *Questions pour un champion* et passer du temps devant TF1. La chaîne diffuse *Baby Boom*, une émission plongeant dans les entrailles d'une maternité. La Femme ne tient pas à la regarder, elle préfère éviter les images d'écartèlement pour le moment. De mon côté, je suis fasciné par le spectacle de l'humanité au moment N, dont les émotions sont à nu malgré les caméras.

Une grand-mère embrasse le téléphone quand son gendre lui apprend la bonne nouvelle (ça ne sert à rien, madame).

Un papa à dreadlocks, stéréotype de l'Antillais nonchalant, penché sur son nourrisson qui pleure : « Pourquoi tu cries comme ça, frère ? » (mais enfin, ce n'est pas ton frère, frère, c'est ton fils).

Un Kévin, tout pimpant, témoigne après l'accouchement (« j'ai eu la chance de tout faire de A à Z ») sans se rendre compte de la maladresse de la formule prononcée devant sa femme qui vient de passer les heures les plus éprouvantes de son existence.

Je suis touché par ces gens dont le sens commun n'a pas résisté au tsunami de bonheur qui les emporte. Ils racontent n'importe quoi et sont les gens les plus heureux du monde, à ce moment-là.

L'émission soulève en moi une question capitale. Est-il bien raisonnable d'accoucher avec ses chaussettes ? Après mûre réflexion, je conclus que non, évidemment, la singularité de l'événement ne saurait justifier une telle perte de dignité. Quelques mois plus tard, comme pour conforter mon propos, une vidéo de la femme de Robbie Williams accouchant en Louboutin fera le tour d'internet.

Nouvelle séquence. On assiste aux discussions des infirmières durant leur pause café. L'une explique qu'elle a découvert une tétine dans le vagin d'une patiente. Oui, une tétine. Patiente qui avouera s'être introduit un biberon. Sa collègue renchérit : elle a récupéré des œufs (frais, les œufs) dans une autre chatte. Les personnels hospitaliers sont des héros des temps modernes.

Je me suis penché sur les conditions de travail des sages-femmes. Leur métier est harassant, mal reconnu et sous-payé, alors que leur responsabilité est gigantesque et leur rôle indispensable. En conséquence de quoi, un mouvement de grève se profile. Je suis solidaire. Faites la grève, les filles. Et surtout faites-la tout de suite, pas dans deux mois.

Maintenant que le nid est prêt, la Femme oriente son stress vers le moment A de l'accouchement, le point alpha de la vie, celui qui l'ouvrira en deux pour libérer l'alien. Elle me fait part de ses angoisses primipares, je tente de la rassurer comme je le peux.

— *Tu enfanteras dans la douleur*, c'est un précepte enfoui dans nos mentalités judéo-chrétiennes. Aujourd'hui, c'est *Tu enfanteras sous péridurale*. L'accouchement est quasiment une formalité. (Une fois de plus, je bluffe pour la bonne cause.)

— Je te signale que Natalia a arraché les cheveux de la sage-femme pendant le travail.

— Natalia est une fille sensible. Toi, t'es une dure.

— Il paraît que ça arrive tout le temps. La sage-femme ne lui en a même pas voulu, elle considère que ça fait partie des risques du métier.

— Ne t'inquiète donc pas, Femme. Je te dis que c'est pas la mer à boire. Tu vas simplement te chier dessus puis quelqu'un que tu ne connais pas va découper ton sexe au scalpel. Ça va très bien se passer. Même si tu devras porter des couches pendant quelques jours.

Le rôle de l'écrivain, c'est de dire la vérité.

Pour les non-initiés, je me dois de définir l'épisiotomie, même si la simple prononciation du mot est douloureuse : il s'agit d'une opération trop souvent pratiquée dans les maternités françaises, consistant à tronçonner une partie du vagin pour laisser passer le bébé. (Voilà, je voulais écrire un livre mignon sur la grossesse de ma femme, et on se retrouve dans *American Psycho*.)

Le pire, c'est que ce n'est pas le pire. Il y a *l'autre problème*. C'est l'un des tabous les mieux gardés de la grossesse, une information qu'on s'échange sous le manteau : la plupart des parturientes défèquent dans l'effort. On ne peut pas leur en vouloir. Simplement, on n'évoque pas trop le sujet.

Rappelons que lors du décès, le corps se vide de ses fluides. Je n'irai pas jusqu'à affirmer que c'est un résumé de la condition humaine, mais il faut bien admettre les faits : nous naissons et mourons dans la merde. À chacun de rendre sa vie étincelante entre ces deux instants.

Peu rassurée par mon exposé, la Femme parcourt des forums spécialisés en espérant y trouver des conseils anxiolytiques. Comme ça ne marche pas non plus, elle se rabat vers la valeur sûre que constitue le paquet de Smacks. Elle disperse des miettes dans le lit sans vergogne, sachant que je ne peux pas l'engueuler dans son état.

Je me couche en lisant une enquête intitulée « La vraie histoire du sexe après l'accouchement ». Un gynécologue y explique qu'une femme ne retrouve jamais vraiment son corps d'avant et rappelle que le diamètre d'une tête de bébé avoisine les dix centimètres. Le témoignage d'une mère résume bien l'affaire : « Mon vagin était devenu un hall de gare. » J'ai beau être un grand voyageur, je regrette d'avoir lu cet article.

Voici venu le temps des ateliers de préparation à l'accouchement. Je vais rencontrer des professionnelles de la vie qui vient, je vais intégrer un tas d'informations pratiques et partager un moment édifiant avec la Femme qui, déséquilibrée par la modification de son centre de gravité, marche désormais comme un petit pingouin pataud.

Dans la salle d'attente, des prospectus promeuvent l'allaitement naturel. Nous avons déjà réglé cette question importante lors d'une discussion qui a duré sept secondes (— Tu comptes donner le sein ? — Oui. — Cool). Une affiche met en garde contre la mort subite du nourrisson, une autre montre comment installer un nouveau-né dans une voiture (il est conseillé de l'attacher). Une petite annonce nous apprend qu'une société de production recherche des bébés mignons pour le prochain film d'un réalisateur césarisé.

Ici patientent une dizaine de femmes plus ou moins énormes et deux futurs pères. Nous échangeons un coup de menton complice. Une porte s'ouvre et nous nous asseyons sur des tapis de gymnastique. La sage-femme fait son apparition en clamant « ah non aujourd'hui, je prends pas les papas. Cet atelier va nous emmener dans un voyage à travers le vagin : on reste entre femmes. »

Viré comme un malpropre, je quitte la pièce en lançant un « bon voyage » avant de me diriger vers la cafétéria pour discuter avec l'autre père bafoué. Il a mon âge, nous vivons dans le même quartier, nous partageons nos impressions comme deux passagers d'un train qui sympathisent en évoquant leur destination. Nous commentons les installations de la maternité qui, malgré les erreurs de planning, semblent optimales. On trouve ici des baignoires à accouchement et des tables à langer dernier cri. Nous sommes bien conscients d'avoir la chance de vivre dans une contrée où le système hospitalier reste relativement sûr. À l'échelle mondiale, 90 % des naissances ont lieu à domicile, faute de structures adaptées, avec le taux de mortalité en couches que cela suppose. Pourtant, enfanter chez soi revient à la mode dans les pays développés, l'option séduit celles qui redoutent la surmédicalisation et les infections nosocomiales. Certaines femmes choisissent même de se passer de toute assistance professionnelle pour accoucher dans la nature.

La chaîne américaine Lifetime exploite ce filon avec son show *Born in the Wild*. On y suit des mères qui, désireuses de vivre une expérience primitive, vont mettre bas dans les bois, loin de toute civilisation – mais avec une équipe de télé sur le dos. Je regarde la bande-annonce sur mon téléphone avec mon camarade d'infortune, pendant que nos compagnes répètent leurs exercices de respiration dans la pièce voisine. Tous les codes de la télé-réalité survivaliste sont respectés : montage saccadé, musique anxiogène, cris de douleurs et voix off menaçante pour exposer le pitch. « *No hospital. No medecine. No doctors. No turning back.* » J'aurais tendance à ajouter « *no brain* » mais après tout, si des tarées veulent renouer avec leur part animale entre deux coupures publicitaires, qui suis-je pour juger ?

À sa naissance, le girafon tombe de deux mètres de haut.

Chez certains nomades de Sibérie, le père rassemble vingt-cinq têtes de canards autour de la tente pour annoncer la naissance d'un enfant. En France, on envoie un SMS, ce qui nous rappelle à quel point la modernité a rompu notre relation avec la nature. Trouver vingt-cinq têtes de canards, je veux bien faire l'effort, si ça peut aider. Mais en région parisienne, ça implique de se lever tôt et d'affronter les bouchons de l'A6 pour aller à Rungis. On perd en charge symbolique.

En Italie, le père attache un ruban sur la porte du foyer, bleu ou rose en fonction du sexe du bébé. On notera une évolution positive des comportements depuis l'antiquité romaine. À l'époque, le pater familias glandait aux arènes pendant que sa femme accouchait sans savoir si elle survivrait à l'épreuve. L'homme avait droit de vie et de mort sur la maisonnée. On lui présentait le nourrisson et il décidait de le reconnaître ou pas, en fonction de sa bonne

gueule. Pouce levé, le bébé vit. S'il n'est pas liké :
morituri te salutant.

De nos jours, les Anglo-Saxons s'adonnent au
baby shower, fête prénatale entre la future mère et
ses copines où pleuvent les cadeaux. Moins connu,
le blessingway est un rituel new age qui voit les par-
ticipantes s'adonner à la fabrication de colliers de
grossesse, au moulage de ventre enceint, aux bains
de pieds parfumés aux pétales de rose, aux lec-
tures chamaniques, voire, pour les plus motivées,
à l'ingestion de tarte au tofu. Autant de façons de
recréer du cérémonial païen dans nos sociétés éloi-
gnées du sacré, à la manière des enterrements de
vies de jeunes filles. On en profite parfois pour
faire passer au père un examen de passage dres-
sant un bilan de ses compétences en changement de
couches et préparation de biberons.

En Nouvelle-Guinée, le père arapesh est encore
plus impliqué : la tradition veut qu'il simule
l'accouchement, pratique lui permettant de réinves-
tir sa masculinité, si l'on en croit l'anthropologue
Margaret Mead, citée dans le beau livre *Pères :
Images de la paternité à travers le monde*, qui me sert
ici de source.

A contrario, près de Bandung, sur l'île de Java, le
père quitte la maison quand l'accouchement se prépare car il ne doit pas entendre les premiers cris du

bébé (ici, la tradition arrange bien les hommes qui peuvent se la couler douce pendant que bobonne enfante).

Dans le registre feignasse, le papa wayãpi de Guyane remporte la timbale. Il passe trois jours vautré dans un hamac. Ainsi fragilisé, il attire à lui les forces maléfiques pour les détourner de la mère et de l'enfant affaiblis par l'épreuve de l'accouchement. Il assume son rôle de protection de la famille, tout en se ménageant la possibilité de descendre quelques bières pour la bonne cause.

Échaudé par ma première expérience, je reviens à la maternité avec l'appréhension de celui qui se présente devant une boîte de nuit sélect dont il ne connaît pas le physionomiste (« Désolé monsieur, pas de baskets »). Cette fois-ci, on me laisse assister au cours de préparation à l'accouchement. Les femmes sont un peu plus enceintes, les hommes toujours aussi peu nombreux. Assise en tailleur sur un tapis, une sage-femme quinquagénaire joue son rôle de mère universelle en dispensant son savoir poli par l'expérience.

Comment reconnaître une contraction ? (Ça fait mal au ventre.) Quand partir à la maternité ? (Attendre que les contractions soient espacées de cinq minutes.) Quels soins prodiguer au nourrisson ? (Penser à le nourrir.) On nous notifie l'importance du peau à peau, ce premier contact charnel externe entre la mère et l'enfant. Il est ensuite question d'haptonomie, d'ocytocine, de streptocoque, de sophrologie et de yoga prénatal. Lors des travaux pratiques, la Femme peaufine sa technique de respiration ventrale. Je l'imite, sans trop comprendre pourquoi je fais ça. Elle apprend à se trémousser sur un gros ballon rouge, exercice qui favorise le maintien du dos et l'ouverture du col de l'utérus. Je ne l'imite pas, j'aimerais que mon apport soit plus utile que grotesque.

L'atelier fonctionnant sur l'échange, je n'hésite pas à poser la question :

— Que peut faire le père pendant ce temps ?

— N'hésitez pas à venir avec votre ordinateur et des DVD. Ça dure assez longtemps et il y a des moments creux.

— Je veux dire : qu'est-ce qu'on peut faire d'utile ?

— Vous pouvez masser les épaules et le dos de votre compagne entre les contractions.

Puis, s'adressant à la Femme :

— En attendant le jour J, si monsieur est dévoué, il peut aussi vous masser le périnée pour assouplir les tissus.

— Qu'est-ce qu'elle a dit ? chuchote la Femme incrédule à mon oreille.

— Je ne suis pas catégorique mais je crois qu'elle me conseille de te mettre des doigts.

Passés ces préliminaires, nous arrivons au cœur du sujet : la sage-femme nous montre les différentes postures envisageables pendant le travail. Elle utilise le terme *position d'engagement*, vocabulaire militaire qui traduit le sérieux de l'affaire. Je pensais naïvement qu'on accouchait sur le dos. Il s'avère qu'on peut le faire accroupie, solution la plus naturelle et la plus logique en terme de gravité – mais ça n'arrange pas les accoucheuses. On peut également se mettre sur le côté en levant la jambe. Autre possibilité : la parturiente s'assoit entre les jambes du père. Ce dernier participe ainsi physiquement à l'accouchement (un peu comme le papa arapesh en Nouvelle-Guinée). « Dans ce cas-là, prévoyez de mettre un pantalon auquel vous ne tenez pas », conseille la professionnelle.

La Femme ne veut même pas entendre parler de l'accouchement en baignoire, car il interdit la péridurale. En revanche, l'accouchement chanté attire notre attention. Cette méthode permet à la mère de détendre ses muscles et au bébé d'arriver plein de bonnes vibrations. Très bien, mais qu'est-ce qu'on chante ? A-t-on étudié les dommages causés sur le cerveau de l'enfant si une mère chante du Florent Pagny ? Apparemment, ce serait plutôt des vocalises, des sortes de mantra. Sur le papier, nous n'avons rien contre. Dans les faits, ça dépasse notre seuil de tolérance à la baba-coolerie.

Quel que soit le procédé, un accouchement obéit à une loi universelle, ainsi résumée par la sage-femme :

— Faites le vide dans votre tête et poussez.

J'enregistre une autre information capitale : l'accouchement ne se termine pas avec l'arrivée du bébé. Il faut attendre l'expulsion du placenta et « on doit parfois manœuvrer pour aller le chercher ».

Que faire de cet organe qui a nourri et oxygéné l'Enfant pendant des mois ? Au XXe siècle, les industries cosmétiques récupéraient des placentas humains, considérés comme des déchets opératoires, pour les intégrer à la composition de leurs produits – pratique aujourd'hui prohibée.

Dans certaines cultures, on l'enterre pour que la matrice revienne à la terre. Ailleurs, on le brûle ou on l'enveloppe de feuilles de bananier.

Les femelles de la plupart des espèces de mammifères le mangent, car il ne faut pas gâcher – le placenta est très nourrissant. Les humains ne sont pas en reste : chez les Yakoutes, ce sont les pères qui se régalent. En parcourant un forum de femmes enceintes, j'ai trouvé une recette de milk-shake au placenta (à mixer avec du sorbet et du lait d'avoine), sûrement postée par une mère ayant accouché en pleine nature en chantant des mantras. Je pense que la Femme préférera se délecter d'un jambon cru que j'aurai pris la peine d'acheter pour apaiser ses frustrations charcutières.

Ça ne résout pas la question placentaire. Le revendre ? Il existe sûrement des sites spécialisés dans ce genre de business sur le dark web. Je n'irai pas vérifier, j'ai peur de trouver des vendeurs proposant des packs placenta + nourrisson pour quelques roubles. Le donner aux beaux-arts ? Ça comblerait sûrement une jeune artiste névrosée peignant avec ses règles dans le cadre d'un projet théorisant le corps comme matière première de la création.

Restons simples, on jettera ce placenta à la poubelle. Je me contenterai de couper le cordon ombilical. Je séparerai le corps de la mère de celui de l'Enfant pour prendre ma part à son arrivée dans le monde.

Un jour mon fils me demandera : « Comment on fait les bébés ? » et je répondrai : « Ça dépend. »

La science fait bouger les lignes de la reproduction. À l'époque de ma naissance, le procédé était simple et connu de tous. Deux ans plus tard naissait Louise Brown, le premier bébé-éprouvette. Une vingtaine d'années après, j'ai vécu quelques mois en Californie où les journaux regorgeaient d'annonces incitant les étudiantes désargentées à vendre leurs ovules pour financer leur scolarité. (Les ovocytes asiatiques sont les plus demandés et les plus chers : la Femme sait ce qu'il lui reste à faire en cas de revers de fortune.)

Il est de nos jours assez simple de diagnostiquer les ovules fécondés avant d'implanter l'embryon. On peut ainsi repérer certaines maladies génétiques, ce qui est formidable. Dans les cliniques américaines spécialisées dans la fécondation in vitro, on peut aussi trier les embryons en fonction de leur sexe, ce qui est discutable. Des couples aisés accourent de Chine ou d'Inde afin de se garantir une descendance mâle pour la modique somme de 25 000 $.

Il serait techniquement possible de sélectionner la couleur des yeux ou d'opter pour des enfants athlétiques en fécondant des femmes avec des donneurs de sperme choisis sur catalogue.

Des dispositifs légaux encadrent les avancées scientifiques. Mais les lois évoluent et diffèrent selon les pays. En Inde, des usines à mères porteuses louent des utérus pour quelques centaines de dollars. Par ailleurs, on pratique l'ectogenèse sur des chèvres. C'est-à-dire la grossesse externalisée dans un utérus artificiel : l'embryon ne se développe plus dans le ventre d'une mère.

Verra-t-on bientôt des élevages de bébés sur mesure, des enfants clonés, l'eugénisme annoncé par *Le Meilleur des mondes* ? (Bonjour, je voudrais un mâle blond aux yeux bleus avec des prédispositions pour le violoncelle et la physique nucléaire. Le même que la dernière fois, mais avec une plus grosse bite, s'il vous plaît.)

Certains cauchemars d'Orwell se sont matérialisés, Big Brother est parmi nous. Rien n'interdit de penser que les prophéties d'Huxley puissent advenir.

La dernière échographie confirme que la marche vers la vie progresse sans incident. L'Enfant est actif. Il suce son pouce, c'est presque une personne. Il se présente dans le bon sens, tête en bas. Il mesure une quarantaine de centimètres et pèse plus de deux kilos. À huit mois, ses sens sont bien développés. Ses papilles gustatives s'affinent. Ses paupières peuvent s'ouvrir, il réagit à la lumière. Si on pointe une torche sur le ventre, il a le réflexe de se couvrir les yeux. (Il faut être sacrément désœuvré, ou un peu tordu, pour penser à pointer une lampe torche dans la gueule de son enfant à naître.) Il est sensible au toucher et nous passons de longs moments à caresser le monticule qui lui sert de cabane.

Nous avons fait appel à une professionnelle pour perfectionner nos caresses. La Femme a pris rendez-vous dans un institut proposant des massages adaptés aux femmes enceintes. La présence du père est requise, il s'agit d'apprendre les gestes soulageant la femelle alourdie par le port de la vie. Le ventre doit être massé dans le sens des aiguilles d'une montre afin de libérer les énergies, affirme la praticienne en me montrant l'exemple. Elle place mes mains sur le crâne de l'Enfant. Une peau cuivrée et baignée d'huile glisse doucement sous mes doigts. Les seins de la Femme, fiers et gonflés, occupent maintenant un volume spectaculaire. Le ventre tendu vers l'avenir, elle somnole dans la lueur des bougies parfumées. Elle est parfois secouée de l'intérieur par les hoquets de l'Enfant, qui m'émerveillent et l'indisposent. Je lui dis qu'elle est belle comme un fruit trop mûr, elle croit que je me fous d'elle, c'est sûr.

Le plus beau jour de ma vie est enfin arrivé.

Je venais de donner une conférence devant vingt-deux personnes (thème : Le voyage, un pré-texte pour raconter le monde) quand le téléphone a sonné. La nouvelle m'a laissé pantois. Déjà ?

Je me suis empressé de vérifier l'information. C'était réel. Vrai de vrai.

Julien Lepers m'avait cité dans *Questions pour un champion*, lors de l'épreuve du « quatre à la suite » (ma préférée) sur le thème du tourisme. Qu'attendre de l'existence après un tel accomplissement ?

L'État de Pennsylvanie vient d'adopter une loi interdisant de toucher le ventre d'une femme enceinte sans demander sa permission. Il était temps. La bienveillance peut virer à l'intrusif et la Femme en a marre que des inconnus se permettent de la tripoter sous prétexte qu'elle est grosse.

Cela fait partie des inévitables désagréments liés à sa situation, au même titre que l'insomnie, les démangeaisons, les envies de pisser fulgurantes et autres flatulences. Sans oublier les problèmes de mémoire.

La Femme reste d'une vivacité étonnante, même si son niveau d'énergie a décliné avec sa prise de poids. Outre le petit malaise de novembre, sa grossesse s'est déroulée sans crise. Elle n'a pas connu de sautes d'humeur hormonales ingérables. C'est à peine si, deux ou trois fois, elle a été percutée par d'éphémères et subits accès de tristesse. Elle a su dompter ces coups de blues aux causes physiologiques en les tournant en dérision. Pas pénible pour deux sous. J'ai entendu des histoires de petites meufs aimables se transforment en Cruella sous l'effet de saillies hormonales, laissant leur homme désemparé devant des flots d'insultes incohérentes (— Tu me détestes, hein, salopard ? — Mais non enfin, chérie, je t'aime, je viens d'aller te chercher des fraises à 3 heures du matin en février. — Ouais, c'est ça, continue à me culpabiliser, ordure). J'ai échappé à ce phénomène. Merci pour ça, Femme. (Ne pas crier victoire trop tôt : je connais des filles qui ont entamé des cycles de dépressions infernales au moment où elles devenaient mères.)

Cette période s'est caractérisée par une totale absence de nausée. Preuve de mon implication de nouveau père, j'ai plus vomi qu'elle durant la grossesse.

Je suis passé par tous les états psychologiques, de la joie parfaite à la panique paralysante. Mon corps n'en a pas pâti. Je n'ai pas pris de poids, pas perdu de cheveux, mon dos ne tire pas plus que d'ordinaire. Ma couvade, c'est ce livre.

La Femme doit accoucher dans trois semaines et elle n'a pas vu passer ces huit mois, dissous dans le quotidien. Elle est déjà nostalgique, regrette de ne pas en avoir assez profité. Tenaillée par la sensation de ne pas être au point et déstabilisée de ne pas connaître le moment précis du débarquement, la Femme aimerait retarder l'échéance. Je l'ai surprise à caresser son ventre en parlant à l'Enfant. « Il faut encore rester au chaud, petit garçon, ta chambre n'est pas prête, et ta maman non plus. »

Pour fixer ces moments d'apesanteur que nous ne vivrons certainement qu'une seule fois, j'ai pris la Femme en photo, dans la même posture, au fil des semaines. Elle a tenu son propre journal de grossesse (elle m'a autorisé à le lire : pour résumer, elle me trouve anxieux). Rien de très original.

Une idée jaillit : je vais interviewer la Femme. Une vraie interview, professionnelle, avec questions précises et préparées, vouvoiement, dictaphone, retranscription littérale de ses propos. Ce sera un document à consulter dans quelques années pour renflouer cette nostalgie, une pierre à transmettre à notre Enfant.

On n'interviewe jamais assez les membres de sa famille. Le quotidien nous donne l'illusion de connaître nos proches dans leurs moindres recoins. Il existe pourtant des poches de vérité enfouies en chacun de nous, pas forcément secrètes mais jamais formulées car personne ne nous demande de les dévoiler.

Je m'attelle donc à la rédaction d'une vingtaine de questions, allant de « Que ressentez-vous pour cet enfant que vous portez et nourrissez depuis bientôt neuf mois ? » à « Êtes-vous une femme différente aujourd'hui ? » en passant par « Que pensez-vous du rôle joué par le père durant cette grossesse ? »

Je prévois l'entretien pour la semaine suivante. Nous aurons du temps devant nous, la Femme aura entamé son congé maternité.

On peut raisonnablement affirmer que Bill Murray est l'homme le plus cool du monde. Parce que *Lost in Translation*, parce que *Un jour sans fin*, et surtout parce que *SOS fantômes,* qui était mon film préféré de tous les temps en 1984. Après le succès mondial de *Ghostbusters*, Bill Murray, plutôt que d'enchaîner les blockbusters, a mis sa carrière de côté pour étudier la philosophie et l'histoire à la Sorbonne. Bill Murray n'a pas d'agent. Le groupe Gorillaz a intitulé un morceau *Bill Murray*. Qui peut rivaliser ?

L'acteur est invité à l'émission de télé où travaille la Femme, pour assurer la promotion de son dernier film en compagnie de Matt Damon et John Goodman.

C'est le dernier jour de boulot de la Femme. Elle est sur le point d'exploser, elle mérite bien son congé maternité que, bon petit soldat du grand capital, elle a repoussé jusqu'au dernier moment.

Après le show, Bill croise la Femme en coulisses et s'extasie devant son ventre (on peut supposer qu'il aime les enfants, il en a six), papote une minute avec elle et la félicite pour l'heureux événement à venir.

— Allez, on fait une photo, lance-t-il.

Son garde du corps tique, il faut y aller monsieur Murray.

Bill Murray est cool mais il ne faut pas l'emmerder quand il a décidé de prendre la pose avec ma femme.

— Allez, prends-nous en photo, insiste-t-il en tendant le téléphone de la Femme au cerbère.

Sur ces entrefaites, Matt Damon fait son apparition.

— Hey Matt, viens donc sur la photo, lance l'homme le plus cool du monde.

La Femme, pourtant blasée du star-system, rentre à la maison égayée par l'anecdote. Elle est en congé. Elle peut se reposer et s'apprêter à donner la vie sereinement. De bonnes fées se sont penchées sur son ventre.

La Femme est liée à l'Enfant par neuf mois de colocation. Elle le connaît charnellement. Ce n'est pas mon cas. J'ai rendez-vous avec quelqu'un que je ne connais pas.

Qui seras-tu, petit homme ?

Un saint ou un salaud, un génie ou un abruti, un mouton ou un rebelle ? Monsieur Tout-le-monde, Einstein ou Saddam Hussein ? Un créatif dispersé comme ton père, un cadre pragmatique comme ta mère ? Deviendras-tu plombier, mormon, bisexuel, tromboniste, social-démocrate ? Finiras-tu chômeur ou président de la République ? Statistiquement, tu as trois millions de fois plus de chances de devenir chômeur que président. À l'heure actuelle, il faut bien reconnaître que tu es un assisté qui n'en fout pas une, nourri logé pour pas un rond dans ton hamac amniotique. Pas tout à fait amorphe non plus, tu es un agité qui enchaîne les loopings. Est-ce un indice dévoilant ton caractère futur ?

Souvenirs de ma mère : j'étais virevoltant dans son ventre et je tentais de fuguer dès mes premiers pas sur terre. Je suis devenu globe-trotter. Dans les mêmes circonstances, mon frère ne bougeait pas. C'est un sédentaire. À quel point notre tempérament est-il prédestiné ? Tout se décide très tôt, il ne faut pas se rater.

Fils, j'essaierai de t'orienter sur le chemin du bonheur en t'apprenant à surmonter les embûches qui le parsèment. Je t'accompagnerai jusqu'à l'autonomie en tâchant de faire de toi quelqu'un de bien. Je t'aiderai à distinguer la bonté de la naïveté, la force de la brutalité, la confiance de l'arrogance. J'ignore si j'y parviendrai, j'ai encore du boulot sur ma propre personne. Pardonne-moi si j'échoue – à ce propos, il serait judicieux de t'inculquer la clémence.

C'est une sacrée mission et elle ne concerne pas que toi, car tu rempliras le monde et tu en modifie-ras le cours en jouant ta partition.

Tu vas naître aux temps confus de la surinforma-tion. Tu seras un *Homo numericus*, un petit mutant digital. Si mes calculs sont bons, tu appartiendras à la génération B, éparpillée car dotée d'un cerveau hypertexte. Dans une petite quinzaine d'années, tu soupireras quand je te demanderai de m'expliquer une nouveauté technologique. Tu me trouveras lent, comme quand je répète à ma mère pour la trentième fois comment effectuer un copier-coller. Tu tomberas des nues lorsque je t'expliquerai ce qu'était une cabine téléphonique. Quand tu auras l'âge du permis de conduire, les voitures n'auront peut-être plus besoin de conducteur. Le livre papier sera pour toi une antiquité réservée aux musées et au bureau de ton père. L'argent physique et le concept de vie privée te sembleront archaïques.

Tu vas naître à une période charnière de l'Histoire. L'humanité pourrait se scinder de ton vivant, dépasser sa propre condition et engendrer une nouvelle espèce, stockant sa conscience dans des nuages numériques, métissant son corps de carbone avec le silicium des processeurs. Cela fera-t-il de nous de simples animaux améliorés ou allons-nous accoucher du divin par inadvertance ? Tu pourrais assister à l'apparition du premier immortel. Ce sera peut-être toi.

— Demain, on s'occupe de la chambre du petit.

Je prononce cette phrase tous les jours. Des cartons remplis d'objets inutiles, reliquats du déménagement et des années passées, s'entassent dans un coin.

À l'intérieur, des pièces étrangères, des bouts de cahiers, des CD qui contiennent certainement quelque chose – je ne vérifierai jamais. Je n'ai pas réussi à tout jeter. C'est la touche d'anarchie qui peuple encore l'appartement avant le grand basculement. Ma procrastination trahit la persistance de l'ordre ancien. Il faudrait pourtant se débarrasser de tout ce fatras pour pouvoir accéder au berceau. Je me promets de ranger depuis trois semaines. Je vais m'y atteler aujourd'hui.

C'est une journée bizarre, qui commence par une demi-gueule de bois consécutive à un rendez-vous avec Coco (mon camarade photographe star du cinéma nigérian) qui s'est transformé en embuscade de grands reporters, à coups de « je rentre de Syrie, remets une tournée ». La Femme est allée déjeuner avec une copine et elle a prévu de passer par le Monop' pour acheter un pyjama taille naissance.

Ma matinée a été consacrée à un fastidieux travail de correction. Je m'apprête à ranger des cartons quand je suis interrompu par un coup de fil. La Femme. Voix blanche et tremblotante. On vient de lui voler l'un de ses téléphones dans le métro. Un type s'est engouffré avec elle dans le tourniquet et l'a bousculée. Elle l'a engueulé (« Vous pouvez pas faire gaffe, vous voyez pas que je suis enceinte ? »), le type ne s'est pas arrêté. Elle a constaté la disparition de son Iphone une minute plus tard.

Quel genre de sale gros fils de pute faut-il être pour voler une femme enceinte de huit mois et demi ? C'est la logique de fonctionnement des prédateurs : s'attaquer aux proies les plus faibles. Que ton âme croupisse dans du vomi de SS, crapaud malfaisant.

Je rejoins la Femme au commissariat. Elle fulmine, révoltée par la bassesse de l'espèce humaine. Elle dépose sa plainte auprès d'une policière qui truffe la déclaration de fautes d'orthographe avec beaucoup d'entrain. La procédure prend un temps

fou, la Femme s'étiole. Une grande fatigue s'abat
sur elle avec sa descente d'adrénaline.

— Madame, en vérité, ça ne sert à rien de dépo-
ser plainte, n'est-ce pas ?

— Absolument à rien. Vous n'avez évidemment
aucune chance de revoir votre téléphone.

— Merci, ça fait du bien de rencontrer des inter-
locuteurs honnêtes.

Nous avions prévu d'aller au cinéma, nous préfé-
rons rentrer chez nous. À peine la porte refermée,
la Femme perd son bouchon muqueux. Précisons
pour les lecteurs peu familiers du processus de mise
bas chez l'*Homo sapiens :* le bouchon muqueux est
une agglomération de glaires brunâtres accumulées
à l'entrée de l'utérus, qui se détache quelques jours
avant la naissance.

Cela ne veut pas dire qu'elle va accoucher immé-
diatement. Nous avons le temps. Le terme est prévu
dans onze jours.

La Femme est Colère et Lassitude. On a volé
son téléphone, on a profané son âme. Il est de mon
devoir d'organiser une soirée apaisante. Je nous
accorde le droit à un menu McDonald (dont la
consistance n'est pas sans rappeler, justement, celle
du bouchon muqueux) et à une série américaine
pour compenser les émotions de la journée par
des consommations tranquillisantes. (A posteriori,

j'admets que la série avec des meurtres rituels d'enfants n'était sûrement pas le meilleur programme pour détendre une femme enceinte énervée – mais c'était une très bonne série.)

Pour l'endormir, j'emploie une technique qui a fait ses preuves au fil des ans : je lis quelques pages à voix haute pendant qu'elle se love dans la couette. Ça la berce. Parfois, ça l'excite.

À 1 heure du matin, la Femme se met à ronfler pendant que je finis un livre intitulé *Petit éloge de la paternité.*

À 3 heures, ce samedi 8 mars, vient la première contraction.

C'est sûrement une fausse alerte. Cet enfant ne peut pas naître aujourd'hui, je n'ai pas fini de vider les cartons. De plus, la poche des eaux ne rompt pas. Je répète, de ma voix la plus zen, « c'est sûrement une fausse alerte », et la Femme se crispe, un peu plus fort, sous l'effet d'une deuxième contraction.

C'est sûrement une fausse alerte, mais on va quand même préparer la valise.

— Alors, est-ce que tu prends des chaussettes pour accoucher, finalement ?

La Femme ne répond pas, tordue de douleur par une troisième contraction, plus longue et plus violente. Son ventre est dur comme un roc.

Rester calmes. Ne pas se ruer tout de suite à la maternité. Attendre que les contractions soient espacées de cinq minutes pour décamper, on nous l'a bien répété. J'enclenche un chronomètre d'une main et lui tends le paquet de Smacks de l'autre pour faire diversion. Elle n'y jette même pas un coup d'œil : la situation est sérieuse. Je l'attrape par les épaules (j'aimerais la serrer contre moi, c'est impossible) :

— Je crois que nous y sommes, Femme.

Faire preuve de sang-froid. Suivre le protocole conseillé. Entre deux assauts de son utérus, la Femme prend un bain chaud aux vertus relaxantes. Une douche pour moi. Il est 4 heures du matin, autant être frais pour la longue journée qui s'annonce après cette nuit blanche. Je note la présence de poils dans la baignoire.

— Je me suis épilée. Je peux pas me pointer à la maternité avec une grosse touffe, ça se fait pas, avoue la Femme, coquette en toutes circonstances.

J'enclenche une musique suave et j'enfile mon T-shirt *Abbey Road* comme un gri-gri protecteur. Entre deux attaques, la Femme vérifie son kit maternité. Les contractions se rapprochent. Assaillie de l'intérieur, elle tente tant bien que mal de se concentrer sur sa respiration. Ne pas confondre efficacité et précipitation. Je me dirige vers la cuisine car il faut prendre des forces. La femme surgit sur le pas de la porte, médusée :

— Mais qu'est-ce que tu fous ?

Je me prépare un bon petit sandwich. Elle secoue la tête, avec un air qui signifie « suis-je vraiment en train de faire un enfant avec cet abruti qui tartine de la mayonnaise après avoir bien fait griller son pain, pendant que j'attends valise à la main dans l'entrée de l'appartement entre deux contractions ? »

Nous partons trop chargés, avec l'équivalent de ce qu'il faut pour trois semaines de voyage. Ma Nissan Micra rouge de 1990 démarre du premier coup. J'avais imaginé le cas de figure où mon tacot nous laisserait en rade au moment crucial, je l'ai fait réviser peu avant au cas où.

Il est 5 heures du matin. Dans les rues obscures du Paris qui s'éveille, des furieux font déjà leur footing, les boulangeries sont allumées, les balayeurs sont pleins de balais. Bande de fous. Vous faites comme si de rien n'était. Vous ne voyez donc pas que le miracle de la vie passe juste à côté de vous à bord d'une voiture japonaise vintage ? À la radio, il y a Barry White et la météo. Il fera beau.

La Femme souffre, elle ne panique pas. Pourtant, elle dérouille, dents serrées, agrippée à la ceinture de sécurité.

— Femme, j'aimerais plus que tout au monde prendre ta douleur pour te soulager.

— Ta gueule, roule.

— D'accord. Je t'aime.

Une place de parking libre pile devant la maternité. Bon présage. Besoin de trouver des signes dans les situations qui nous échappent. Je réussis le créneau parfait sous la pression ; c'est une satisfaction.

— Bonjour, nous venons accoucher. Enfin, surtout elle. (Je m'étais promis de ne pas utiliser cette première personne du pluriel, je dérape dans le miel juste avant la ligne d'arrivée.)

— Premier étage, répond le responsable de l'accueil, qui en a vu d'autres.

Nous sommes reçus en obstétrique par une sage-femme qui, nous ne le savons pas encore, sera l'ange gardien des heures à venir. Elle s'appelle Audrey, un carré châtain clair encadre son visage juvénile. Elle porte une blouse saumon et un nom de famille slave qui cartonne au Scrabble. La nuit n'a pas été simple, elle a géré six accouchements, et quelques autres sont en cours. Audrey nous conduit en salle de travail, où attendent un lit, un fauteuil et un gros ballon rouge. Installation du monitoring. Un capteur pour le cœur du bébé, l'autre pour la mère. Prise de tension. Un appareil dont je ne saisis pas la fonction exacte produit le bruit pénible d'une machine à sous à Las Vegas. Cathéter. Les contractions se succèdent, courtes et brutales. Je m'empare de mon carnet et d'un stylo.

— Comment orthographie-t-on « cathéter », s'il vous plaît ?

La sage-femme règle la perfusion et ignore ma question, elle pense sûrement avoir été victime d'une illusion auditive. Qui serait assez con pour prendre des notes en de telles circonstances ?

Le drame de l'écrivain, c'est de ne rien vivre pleinement, car il pense toujours à la façon de raconter les événements au moment où ils se déroulent, même dans un cas comme celui-ci, surtout dans un cas comme celui-ci : c'est le deuxième jour le plus important de ma vie (Julien Lepers reste en tête pour l'instant).

Je réalise soudain que je n'ai pas eu le temps d'interviewer la Femme comme je l'avais prévu. J'enrage, c'est une faute professionnelle.

Mais il n'est peut-être pas trop tard, il y a bien des temps morts lors d'un d'accouchement.

Audrey vient de quitter la chambre. La Femme profite d'un instant de répit pour effectuer des mouvements circulaires du bassin, assise sur le gros ballon rouge.

Je vais l'interviewer maintenant. Les avantages sont multiples. Déjà, je la distrais. Et ses réponses auront l'accent de vérité du moment décisif. L'interview en couches, ce sera une première mondiale. Un scoop, l'invention d'une nouvelle forme de journalisme, au plus près du réel : on va ramasser un maximum de blé (je partagerai les bénéfices avec elle, je sais me comporter en grand seigneur).

Je soumets ma demande d'interview à l'intéressée. Aucun son ne sort de sa bouche. Je dois me contenter de déchiffrer son regard, qui se perd bien au-delà du navré : « La personne qui vient de parler est mon homme. Je suis sa femme. Je suis en train d'accoucher de son fils. Il est trop tard pour revenir en arrière. Ma vie est un échec. »

Contraction.

Il est 7 heures du matin, je tombe de sommeil.

— Dors, me conseille la Femme, j'aurai besoin de toi tout à l'heure.

Elle a raison, il faut gérer ses forces (ce sandwich n'était pas une si mauvaise idée).

Je m'assoupis dans le fauteuil pendant quatre minutes, mon pull en bandeau autour des yeux pour me protéger de la lumière du jour qui naît, lui aussi. J'aurais peut-être pu dormir plus et récupérer mais Audrey fait irruption pour pratiquer un examen vaginal.

— 3 centimètres d'ouverture. C'est en bonne voie. On va bientôt faire intervenir l'anesthésiste pour la péridurale.

On m'envoie remplir des formulaires à l'accueil. J'en profite pour fumer une clope comme un salaud, image d'Épinal du père à la porte de la maternité. Je suis adossé contre un arbre planté par je ne sais qui, la rue est vide, le jour s'est levé comme un seul homme. Je perçois, avec l'extralucidité que confèrent les états de fatigue avancés, que ce qui se joue ici me dépasse totalement, comme cela dépasse tous les pères, comme cela dépasse n'importe qui. Nous sommes au-delà de l'individu.

J'improvise quelques mantras en remontant en obstétrique. *Laisse-toi porter par le mouvement de la vie. Accepte de ne pas avoir de prise. Sois optimiste.*

— Vous allez voir, ici on entend des mouettes. C'est fou, non ? En plein Paris, on se croirait en Bretagne. D'ailleurs, on va partir en voyage.

L'anesthésiste déboule accompagnée d'une infirmière et c'est un déluge verbal qui s'abat sur la salle de travail. L'anesthésiste, une quadragénaire vaguement hippie, porte un bandana coloré sur la tête. L'infirmière, une petite dame ronde et brune aux pieds équipés de Crocs, la suit comme une ombre. Don Quichotte et Sancho Panza.

— Alors on va relever cette chemise et on va trouver le bon emplacement pour la piqûre. C'est un petit garçon qui arrive ? Au fait, monsieur, on vous a enseigné la technique de rétroversion du bassin ? Ce qu'il fait chaud dans cette chambre. Vous entendez les mouettes ?

Le tourbillon de paroles ne s'interrompt jamais. Elles donnent des instructions, blaguent, commentent leurs faits et gestes en se vouvoyant. Elles surélèvent le lit de la parturiente. La Femme flotte dans un drap blanc, assise en tailleur à 1 mètre 50 du sol, c'est l'élévation du Bouddha. Les dealeuses de péridurale continuent à jacasser, je comprends leur manège, elles saoulent leur patiente de paroles pour la détourner de son stress tandis qu'elles lui plantent un piolet analgésique dans la colonne vertébrale. Quichotte et Sancho m'enseignent ensuite la fameuse technique de la rétroversion active du bassin (il faut pousser sur les genoux), qui permet de soulager la douleur et de favoriser l'ouverture du col tout en donnant au père l'impression de servir à quelque chose.

Ces deux femmes sont tellement enjouées, souriantes, perchées dans un état oscillant entre ravissement et hystérie, que je les soupçonne de se canarder aux médocs. C'est l'hypothèse la plus plausible, avec tout le matos qu'elles manipulent. Avant de quitter la pièce, l'infirmière caresse la joue de la Femme, geste d'intimité bienveillante, quasi maternel, envers un être humain inconnu il y a encore cinq minutes. Ne pas traiter les gens comme des dossiers, mais comme des gens : c'est trois fois rien et c'est héroïque. Je suis envahi par une vague de gratitude. Je découvre qu'on peut ressentir de l'admiration pour quelqu'un qui porte des Crocs.

Elles se retirent en abandonnant la pièce au silence. La Femme flotte toujours. Trois gouttes de sang tachent le sol.

— Putain de sa mère, grince la Femme agressée par une contraction. Audrey fronce les sourcils et vérifie le moniteur. La péridurale ne marche pas aussi bien que prévu. Le soulagement espéré tarde à venir. Ça ne marche pas, car la Femme va vite, presque trop vite. Elle a toujours été impatiente. À 10 heures, elle en est déjà à 6 centimètres. L'anesthésie court après la douleur. Je masse les lombaires de la Femme pendant un long moment puis je tente de revenir à l'écriture. Peine perdue. Je dois interrompre mes prises de notes toutes les deux minutes pour lui pousser les genoux. Elle gémit à tout bout de champ, impossible de me concentrer dans ces conditions.

— Non mais c'est pas bientôt fini, ces simagrées ? Tu vois pas que je bosse ?

C'est de l'humour à quitte ou double. Mes intentions sont pures, je veux simplement détendre la Femme pour que cet enfant naisse de bonne humeur.

C'est un échec.

La Femme balaie la chambre du regard, je pense qu'elle cherche une boîte de médicaments pour se suicider.

La sage-femme intervient opportunément pour augmenter le débit de la perfusion. Elle aussi se montre d'une disponibilité et d'une douceur imperturbable (elle a pourtant deux ou trois accouchements sur le feu), ce qui tranche avec les hurlements venus des couloirs, qui rappellent les meilleurs centres d'interrogatoire de la Gestapo. C'est avec cette vanne pourrie que je parviens, enfin, à faire rire la Femme. C'est une victoire (merci les nazis).

Aujourd'hui, c'est la Journée de la femme. Je descends acheter les journaux pour mon fils. Je les lui donnerai pour ses 18 ans. Il aura une idée de ce qui se passait au moment de sa naissance et il se demandera pourquoi les nouvelles étaient imprimées sur du papier. Hasard du calendrier, on trouve un article de son père dans *Le Monde* du jour. La Une d'*Aujourd'hui en France* est complètement à côté de la plaque. Aujourd'hui en France, c'est la naissance de mon fils. Arrêtez les rotatives, mettez toutes les rédactions sur le coup, c'est ça l'info du jour.

Je remplis une grille de loto (ça m'arrive une fois par an, je sens que l'Enfant va me porter chance aujourd'hui), j'avale un croissant et un café, le temps de fumer quelques cigarettes sur le trottoir ensoleillé. Mes dernières cigarettes d'homme libre, seul sous ce ciel sans nuages que j'interprète comme annonciateur de joie. Futur père et bon fils, j'appelle mes géniteurs. Mon père est extatique. Ma mère est en train de faire des courses.

Pendant ce temps, la Femme a perdu les eaux. Je ne comprends plus rien : dans les films, on perd les eaux avant d'aller à la maternité. J'ai raté ce moment parce que je jouais au Loto. Je vais être un excellent père.

Écrasée par la fatigue, la Femme ne se ressemble plus. Elle est amorphe car elle enquille les doses de péridurale depuis maintenant trois heures. Elle souffre moins mais sa position n'est pas confortable pour autant. Je ferme consciencieusement ma gueule, sachant que lui conseiller de respirer profondément ou lui demander toutes les deux minutes si « ça va » ne l'aidera pas beaucoup. Je caresse doucement ses cheveux en concentrant tout mon amour dans le creux de ma main. Il fait 28 degrés dans cette chambre.

Audrey surgit et remet un de ses doigts gantés dans la Femme : 8 centimètres d'ouverture. Le grand plongeon approche.

J'imaginais ce processus interminable, tout se déroule en un clin d'œil. Le temps se contracte avec le ventre de la Femme. Il est déjà 13 heures. Je flotte dans une bulle qui n'appartient plus tout à fait au réel tel que je le connais.

Mon rôle, jusqu'ici, a consisté à pousser ses genoux et à tendre des verres d'eau. Je suis bien peu de chose aujourd'hui, je sens pourtant gonfler en moi la force des géants.

— Le col est ouvert. On va passer aux choses sérieuses, annonce Audrey de sa voix de sucre d'orge.

— J'ai peur, chuchote la Femme.

— C'est bien madame, c'est très bien, c'est parfait.

La Femme pousse comme une chienne, les pieds dans les étriers. Son visage est froissé par l'effort, la sueur trouble ses traits. Elle halète, elle grogne. Elle ne hurle pas. Elle ne se plaint pas, n'insulte personne.

Je tiens la main de la Femme. Ainsi, je souffre moins.

Je suis installé à sa gauche, au niveau de son visage ; je lui susurre des mots qu'elle n'entend pas.

Certains pères assistent à l'action au plus près et choisissent de sortir eux-mêmes l'enfant. « Ne faites pas ça si vous voulez conserver une vie sexuelle », nous avait-on conseillé lors du cours de préparation à l'accouchement. Toujours suivre les conseils des professionnels. Même de mon point de vue lointain, c'est une vraie boucherie. Le volume de fluides corporels évacués dans l'action est considérable.

Des matières indéfinissables jaillissent sur la sage-femme, je pense à Lautréamont. Un accouchement, ça ne ressemble pas du tout aux cours de préparation à l'accouchement.

Une quinzaine de poussées. Audrey poursuit ses encouragements. Elle regarde la Femme dans les yeux en lui garantissant que tout se passe bien.

— Vous faites du très bon travail. C'est parfait, c'est parfait. Bon, on va quand même appeler le médecin.

Attendez. Si c'est parfait, on n'appelle pas le médecin.

Un barbu surgit et enfonce son avant-bras dans ma femme sans prendre le temps de dire bonjour. Ce type est assez déplaisant mais je suis bien obligé de m'en remettre à ses compétences. Que faire d'autre ? Attends, dégage de là mon gars, je vais prendre les choses en main. Faites chauffer de l'eau et apportez des serviettes, je suis sur le coup. C'est quand même ma femme, bon Dieu, ça doit pas être sorcier de la faire accoucher.

Le problème, c'est que j'ignore où se trouve mon propre pancréas. Je vais donc laisser faire les professionnels.

Le barbu réclame une échographie. Est-ce bien le moment ? Les cheveux de l'Enfant doivent déjà être à l'air libre. On fait venir l'appareil sur un chariot roulant. Mais enfin pourquoi cette échographie ? On sait déjà que c'est un garçon. L'image apparaît sur l'écran.

— Le bébé regarde vers le ciel, annonce Audrey. Normalement, il devrait se présenter de l'autre côté, visage vers le bas.

La Femme pousse de nouveau.

Le médecin fait la moue.

— Allez, on file au bloc pour la césarienne.

Un voile de tristesse parcourt le visage de la Femme.

J'interviens :

— Vous êtes sûrs ? Pas moyen de faire autrement ?

Le médecin ne me répond pas (je ne suis pas surpris, personne ne me répond aujourd'hui).

Il se tourne vers la sage-femme :

— On se dépêche. C'est urgent.

Ça ne devait pas se passer comme ça. Le cordon ombilical est enroulé autour du cou de l'Enfant. Ça ne devait pas se passer comme ça.

Je suis assis depuis plusieurs minutes dans une pièce froide et vide donnant sur une porte battante. J'ai enfilé une blouse et un pantalon d'hôpital, des surchaussures et une charlotte. Derrière cette porte, il y a ma femme. Je croule sous le poids de mon inutilité.

On vient me chercher. Je n'étais pas censé assister à la césarienne, le médecin s'y opposait. Malgré ses réticences, l'anesthésiste et la sage-femme ont imposé ma présence – soyez-en remerciées pendant sept générations.

Je franchis la porte pour pénétrer sur le théâtre des opérations. Le décor est minimaliste. Tous les acteurs sont vêtus du même costume, masque et chapeau de papier, mine grave.

La Femme gît sur le billard, coupée en deux par un rideau. Côté coulisses, le barbu s'apprête à charcuter son ventre avec l'assistance d'Audrey. Leurs gestes sont assurés, ce n'est pas leur première représentation, ils ont dû jouer cette scène des centaines de fois.

De l'autre côté du rideau s'étend le haut du corps de la Femme. Consciente quoique évaporée dans un état de résignation inquiète, elle sent des instruments chirurgicaux farfouiller dans son utérus endormi. Elle ne souffre pas.

J'embrasse son front et colle ma joue contre la sienne. Le suspense est scandaleux.

Le cordon autour du cou. En une seconde, la comédie romantique pourrait basculer dans la tragédie. Les personnages de cette pièce font face à des forces supérieures. Nos destins sont manipulés par un metteur en scène dont l'existence n'est pas prouvée.

— Dans quatre minutes, vous aurez votre petit garçon, dit quelqu'un.

Un cri.

La sage-femme surgit des coulisses avec un bébé gluant entre les mains.

Voici (je le jure) la première réplique de la Femme en apercevant notre Enfant, sur le ton du constat hébété, de la surprise ramollie des drogués :
— Mais il est noir.

C'est tout de même un sacré coup de théâtre. On a déjà vu des pères s'étonner de la couleur de peau de leur enfant. La mère, en principe, est informée des teintes possibles (mais la Femme, on l'a vu, dispose d'une très mauvaise mémoire).

Ce bébé est en effet très foncé.

En vérité, il est violacé, comme le sont souvent les nouveau-nés, légèrement cyanosé par l'épreuve. Encore une chose que nous ignorions. Il reprendra bien vite des couleurs eurasiennes.

La sage-femme installe l'Enfant sur une table chauffante, le nettoie, clampe son cordon et l'enveloppe dans un lange. Je m'approche de l'être minuscule. Je tends ma main et il saisit mon doigt. Les mots deviennent inopérants.

L'être gesticule dans mes bras. Je viens, nous venons vers la Femme. Je dépose la nouvelle vie sur sa poitrine.

— Femme, ceci est notre chef-d'œuvre.

Nous sommes le jour d'après et je ne parviens pas à dormir ; la lumière a envahi l'univers.

Je tente de reconstituer le film de la veille. Des pans entiers de l'action se sont évanouis dans la confusion des événements et j'ai oublié de prendre des notes.

Je n'ai pas coupé le cordon ombilical. J'ignore ce qu'est devenu le placenta et je m'en fous. J'ai quitté la salle d'opération en poussant le chariot en plexiglas où se trouvait l'Enfant pendant que le barbu recousait la Femme. De retour dans la chambre, Audrey a pesé et mesuré le nouveau-né, testé ses réflexes. Tout fonctionnait, tout était à sa place.

Assis sur le lit, j'ai tenu l'Enfant contre mon torse nu, peau à peau, et je me suis présenté. Je lui ai expliqué que tout allait bien se passer car j'étais là pour lui et pour toujours. Je lui ai dit que sa mère, qui était sa maison, allait bientôt arriver. Puis je me suis tu, j'ai appuyé sur une touche et Billie Holiday a murmuré *God Bless the Child*.

La Femme est revenue sur son lit roulant, le visage détruit par l'épuisement, les yeux scintillant de béatitude. L'Enfant a agrippé son sein. Nous étions réunis, j'étais délivré.

Aujourd'hui, j'ai fort à faire dans cette chambre d'hôpital. La Femme alitée doit reprendre des forces, elle est occupée à déchirer un jambon cru à pleines dents entre deux allaitements. Je veille sur l'Enfant, ses trois kilos et ses cent milliards de neurones. Il dort et pleure et mange et dort et pleure et mange. Je le lave, je le change et je l'habille en maudissant l'inventeur des boutons-pression. Je le photographie sous tous les angles pour m'assurer de sa réalité. Il porte au poignet un bracelet indiquant son prénom. Il a une identité.

Je deviens aussi léger que lui quand son regard se plante dans le mien. Nous sommes subjugués l'un par l'autre. Pureté indépassable. C'était donc vrai, cette histoire d'amour instantané et inconditionnel.

Je sais cette euphorie éphémère. Je sais que cette petite boule de clarté annonce des nuits blanches, des nerfs à vif, des luttes épuisantes et du vomi dans le cou. Mais cet instant rachète tout par avance. Ce regard suspend le temps, il abolit le passé et le futur.

— Je crois qu'il a les yeux bleus, dis-je en me sachant victime de ce déficit de lucidité accompagnant l'état néo-parental.

J'étais sincère, hier, en le traitant de chef-d'œuvre. Je regarde la photo prise par la sage-femme à ce moment-là et je vois un oisillon vagissant, borgne et fripé, couvert de glaires et coiffé d'un bonnet pendant. Dans mes yeux : la plus belle créature qui soit. C'est un transfert de narcissisme, un grand renversement. Un tour de passe-passe existentiel que la biologie nous impose pour nous inciter à protéger notre progéniture mieux que nous-mêmes.

L'Enfant s'agite au crépuscule. Il n'est pas le seul, toute la maternité braille. La tombée de la nuit active un stress hérité de notre mémoire néolithique, nous a-t-on expliqué. C'est l'heure des prédateurs.

Ne t'inquiète pas, petit, je suis là.

Je porte l'Enfant et le balancement de la démarche l'apaise. Le mouvement nous rassure, primitivement : nous sommes des nomades.

Ses pleurs s'éteignent dans mes bras. Je me sens moins inutile. Ma présence sur cette planète n'est plus tout à fait anecdotique.

Je craignais de ne plus pouvoir voyager, je subis un décalage horaire permanent, abruti par le manque de sommeil et ébahi d'observer une vie là où il n'y avait rien quelques semaines plus tôt. J'ai l'impression de n'avoir jamais dormi, le réel a pris la texture du rêve.

La Femme a retrouvé sa mémoire, son ventre plat et ses petits seins. Des poils blancs ont fait leur apparition dans ma barbe et j'ai appris à jouer *Cerf, cerf, ouvre-moi* à la guitare. Je suis devenu ce mec qui montre des photos de son gamin pour un oui ou pour un non. Je sais préparer un biberon les yeux fermés au milieu de la nuit et je ne peux plus regarder *Questions pour un champion* au moment du bain. La chambre n'est toujours pas rangée.

Je n'ai toujours pas interviewé la Femme. Bill Murray tourne un nouveau film et j'ai bientôt fini mon livre. Des millions d'enfants ont vu le jour depuis la naissance du nôtre. La vie suit son cours normal, rien ne se passe comme prévu. C'est l'histoire la plus banale du monde.

La planète continue de tourner et mon existence pivote autour d'un axe central. C'est la révolution permanente. L'Enfant, c'est le soleil ; l'Enfant, c'est la gravité. Ma vie est magnétisée par la sienne.

Je m'arrache à la contemplation de l'horizon pour regarder son tout nouveau passeport. L'Enfant ne ressemble déjà plus à sa photo, il évolue aussi vite que cet avion. Nous voulions lui éviter un nom composé, il a finalement hérité de nos deux patronymes accolés. Trois mots qui ne rentrent pas dans les cases de la fiche de débarquement fournie par l'hôtesse de l'air.

Je vois, à travers le hublot, les étendues désertiques qui défilent sous l'appareil. Nous avons franchi l'équateur. La Femme feuillette un magazine sans prêter attention aux turbulences. L'Enfant dort dans sa nacelle, heureux comme celui qui ne sait pas qu'il existe. Mon petit voyageur métis vient d'atterrir sur Terre et il survole déjà des continents en direction des antipodes.

Tout n'est plus possible pour moi. Tout est possible pour lui.

Je voulais un pommier. Le vendeur d'arbre n'en avait pas en magasin. Il m'a conseillé l'érable. Ça pousse bien à cette altitude, l'érable. C'est solide. Et à l'automne, ils deviennent flamboyants. Va pour l'érable, ça fera l'affaire.

— Il est tout petit, cet arbre, a remarqué la Femme.

— Ça grandit vite, vous verrez, a répondu le vendeur.

Le lendemain matin – c'était la fête des Pères –, j'ai enfilé une paire de gants et j'ai trimballé une pelle dans le champ jouxtant la maison de mes parents, celle où j'ai grandi. C'est le printemps dans les Alpes, l'air est pur et le soleil donne. Le chant des oiseaux occulte le tumulte du monde. D'ici, on voit les cimes enneigées de la vallée abritant le berceau de ma famille.

Mes parents connaissent leur terrain, depuis le temps. Ils m'ont conseillé un emplacement fertile et j'ai commencé à creuser. Je n'avais jamais planté d'arbre. C'était mes débuts dans le jardinage. Je voulais bien faire les choses, alors je me suis appliqué à débarrasser la pierraille.

— Ne t'inquiète pas pour les cailloux, c'est pas un problème, a dit mon père.

— Il vaut mieux les enlever quand même. Ça risque de gêner.

— Au contraire, les racines s'appuient dessus pour se développer.

Il a raison. Des pierres, il y en aura toujours. Il faut faire avec. J'ai placé l'arbre dans le trou, recouvert les racines et j'ai ajouté une poignée de terreau. Il tenait droit. Ses fondations semblaient solides.

La Femme nous a rejoints avec le bébé dans les bras :

— Il faudra en prendre soin. Surtout quand vient l'hiver.

— On gardera un œil dessus mais, tu sais, ça pousse tout seul, a répondu mon père.

— Maintenant c'est à toi de jouer, petit.

J'ai arrosé l'arbre, la Femme a posé sa main sur mon épaule et l'Enfant a esquissé son premier sourire.

Les feuilles de l'érable, animées par une brise légère, s'épanouissaient déjà sous notre ciel.

La nature n'est pas si mal faite.

PAPIER À BASE DE
FIBRES CERTIFIÉES

Le Livre de Poche s'engage pour
l'environnement en réduisant
l'empreinte carbone de ses livres.
Celle de cet exemplaire est de :
200 g éq. CO_2
Rendez-vous sur
www.livredepoche-durable.fr

Composition réalisée par PCA

Imprimé en France par CPI
en avril 2017
N° d'impression : 3023177
Dépôt légal 1re publication : mai 2017
LIBRAIRIE GÉNÉRALE FRANÇAISE
21, rue du Montparnasse - 75298 Paris Cedex 06

17/3040/4